教師が変わる・児童生徒も変わる

授業づくりの診断書

RTF教育ラボ

村上敬一　西村豊　吉村雄二　野田雅満

PROLOGUE

はじめに

2020年から新しい「学習指導要領」(中学校は2021年・高等学校は2022年)が全面的に実施されることになりました。今回の学習指導要領は、先の見えない社会において生きていくために必要な資質や能力、技能を身につけさせるための改訂が中心で、「主体的・対話的で深い学び」が求められています。これは授業を受ける子どもたちだけの問題ではありません。現職教員やこれから教師を目指していく学生にとっても大きな問題です。「チョーク&トーク」の教師主導型の一斉授業を受けてきた現職教員や今の学生にとっても、「主体的・対話的で深い学び」は新しい学びの形であり、経験がほとんどない分、未知への挑戦とも言えます。また、電子黒板やタブレットなどのICT活用の授業も、未知への挑戦の一つです。

RTF教育ラボは、現職の管理職や退職校長、現職の教職員や大学関係者など多くの経験者が参画して、教育に関する活動を続けています。特に授業については教科に偏らず、さまざまな視点から観察とアドバイスを行ってきたと自負しています。

私個人としても十数年間、日本のさまざまな場所で、国公立私立の小学校・中学校・高等学校また塾・予備校を訪れ、授業を観てきました。年間に300〜400の授業を参観してきており、現在までに4500程度の授業を観てきたことになります。さまざまな場所・校種・教科の授業という意味では、日本で最も多くの授業を観てきたのではないかと思います。

そして、この授業観察経験のなかで見えてきたことは、

1. **個性**(特に強み)**を発揮できずに、授業がうまくいかない教師が数多くいること**
2. **教師自身は人間的には非常に魅力的だが、表現方法がわからず、子どもたちに伝わっていないこと**
3. **パフォーマンスは問題ないが、学習環境や子どもたちの人間関係を整えていないため効果が薄く、効率も悪くなっていること**(同じ教師でもクラスによって授業効果に差が出てしまう原因は先述した内容がほとんど)
4. **授業がうまいと感じる教師の行動特性**(意識・思考含む)**には、おおよその共通項があること**
5. **授業崩壊を起こしてしまう教師の行動特性もおおよその共通項があること**

でした。

ならば、以上の課題を解決することで、少しでも現職、またこれから教職に就く皆さんの役に立ちたい。その思いで、本書を発行するに至りました。その経緯は、

1. **授業観察の経験より「授業がうまい先生の行動特性**（意識・思考含む）**」を可視化することが教師の支援になる**
2. **教師が生き生きとしている学校環境こそが、未来の子どもたちのために必要**
3. **子どもたちの授業中の姿、教師の個性**（表現含む）**を可視化することで、単なるマニュアルではなく、目的や目標が明確になる実践可能な診断書になる**

と考えたからです。

現在教育の現場では、多くの先生方が学校での働き方改革や授業改善の方法などについて、悩み苦しみながら頑張っています。なかには本当は教師に向いているはずなのに、その苦悩から、志半ばで教職から退いてしまう方もいるでしょう。

私たちは本書が苦しんでいる先生方の助けになり、ひいては子どもたちの学びの助けとなると確信しています。

2020年8月吉日
RTF教育ラボ代表　村上敬一

目次 CONTENTS

BOOK IMAGE

本書の活用イメージ

本書の活用によって、

1. **授業の状態**（授業中の教師の働きかけや個性／授業中の児童生徒の姿）**の可視化**
2. **目指したい授業の共有**
3. **理想の状態に進ませるための手立ての確認と共有**

ができます。

それぞれの立場では、

【現職教員の方】

実際の授業の診断に活用するとき、子どもたちの授業中の姿、自分の強みややるべきことが見つかり、理想の授業の実現に向けた筋道がイメージできる

【管理職の方】

自校の授業診断票を作成、活用するとき、学校としての理想の授業が共有でき、理想の授業の実現に向けて教師同士が研鑽できる

【教育委員会の方】

自治体の授業診断票を作成、活用するとき、自治体としての理想の授業の方向性が共有でき、各学校の実情に合わせた理想の授業の実現に向けて統一した展開を実現できる

【教員志望者の方】

理想の授業をイメージした診断票を教育実習で活用するとき、自分の強みが発見でき、教員になるまでにやるべきことを明確にすることができる

1

良い授業とは何か

What is a good class?

1-1　良い授業とは

「良い授業」とはなんでしょう……？ 教育に携わった経験がある方であれば、一度は考えたことがあるのではないでしょうか。指導案通り、会心の授業を行ったという手応えがあっても、子どもたちの理解や定着の度合いは十分でないこともあれば、授業者の手応えは良くないのに子どもたちが主体的に学び、しっかりと定着していくこともあります。授業者にとっての良い授業が必ずしも受け手にとっての良い授業とならないことは、よくあることです。

ここで、教員志望の学生、小学校、中学校、中高一貫校、高等学校の教員に聞いた**「良い授業とはどのような授業か?」**というアンケートの結果から考えていきます。

- 生徒の「わからない」を拒絶しない授業（教員志望学生）
- 教科の考え方が自然と身に付く授業（教員志望学生）
- 生徒に学ばせるのではなく、生徒から学ばされる授業（教員志望学生）
- 自分の将来や実社会とつながっていると実感できる授業（教員志望学生）
- 生きていく上で必要なことを学ぶ力が身に付く授業（教員志望学生）
- 目的と目標が教師と生徒で共有でき達成度が可視化できる授業（教員志望学生）
- 生徒が授業で学ぶ内容の目的を理解できる授業（教員志望学生）
- 子どもが自分で考えながら、できたと思う、児童にとって満足感のある授業（小学校教員）
- 子どもたちが内容に意識を向けて、自分の頭で楽しみながら学んでいる授業（小学校教員）
- 子どもが授業をつくり、アイデアを創造できる授業（小学校教員）
- 授業でやった内容が実社会で活用できることを示せる授業（小学校教員／米国人）
- 自分自身が興味を持つことができ、伝わる授業（小学校教員／米国人）
- 生徒の考える時間が多く、自ら学んでいける授業（中学校数学教員）
- 教師も生徒も授業後に楽しかったと思える授業（中学校英語教員）
- 生徒のレベルに応じて発展していく授業（中学校英語教員）

- **楽しく好きなことを追求できる授業**（中学校理科教員）
- **教科に興味を持ち、将来のきっかけになる授業**（中高一貫理科教員）
- **生徒の能力を伸ばすような目標が達成される授業**（中高一貫社会科教員）
- **いろいろな生徒が自然に発言できる授業**（高校社会科教員）
- **教科書以外の内容にも関心が持てる授業**（高校社会科教員）
- **学んだ知識を使って表現できるような授業**（高校英語教員）
- **生徒とコミュニケーションがとれ、知的欲求が学びに結び付く授業**（高校英語教員）
- **教師は見守るだけで、生徒が自ら学ぶ授業**（高校数学教員）
- **わかるだけでなくできるようになる授業**（高校国語教員）
- **生徒にとってわかりやすくフィットし、できるようになる授業**（高校国語教員）
- **生徒とともに考える授業**（高校理科教員）

（アンケートより一部紹介）

背景や立場、状況はバラバラであるはずなのに共通項が多く見られます。
主な共通項として、

❶ 子どもたち（児童生徒）が主役の授業

「誰のための良い授業か」という説明をしていなくても、回答者全員が子どもたちを中心に置いた授業を良い授業と考えていました。しかし、授業観察を行っていくなかで数多くみられる現象は、児童や生徒の実態に合っていない授業や計画通りに進めることが目的になってしまっている、**子ども不在の授業**です。頭ではわかっていても、実践できていない問題がここにあります。

❷ 子どもたち（児童生徒）の未来を見据えた授業

「現在」のことも考えながら**「未来」に続くイメージが持てる授業**（＝新しい時代に必要となる資質・能力が育成できる授業）が良い授業とされていたことも一つの共通項です。現在の授業1コマだけで考えるのではなく、次の授業、次の単元、次の学年、次の進学先や社会人になった状況など、**未来を見据えて**授業を考えていることが伺えます。これも現状の授業では児童生徒にうまく伝えきれていないことが多いようです。

❸ 特定の教科や学年に偏らず、すべての教科、学年にも通用する授業

さまざまな校種・教科の方々から話を聞いていますが、教科や学年、対象の児童生徒の習熟如何にかかわらず、**「良い授業のイメージ」**があることも共通項です。

大きく、この3点が共通項として挙げられました。

あえて定義するなら、「学年や教科を問わず、児童生徒の未来のために、（今の授業を通して）児童生徒が興味や関心を持ち、自ら考え、理解するだけでなく**活用できる力**を身につけるためのサポートができる授業」となりそうです。

では、「良い授業」をつくっていくためには何が必要なのでしょうか。
数多くの授業観察を通じて、「良い授業」を構成できる教師には共通する考え方や行動が存在することがわかりました。例えば、

- **授業者である教師自身が自然体で伸び伸びと楽しそうに授業を行っている**
- **教科の内容以外にも興味や関心を示し、一見すると授業と関係のないような話であっても、いつの間にか児童生徒を教科の内容に引き込み、主体性を引き出している**

などです。

「なるほど」と共感する一方、このような共通事項のなかで、抽象的な表現が教師を悩ませている要因になっていることもわかりました。例えば**「教師が自然体で楽しそう」**ということについて、観察者である私たちを含めて、児童生徒はなぜそう感じるのでしょうか？ どこを見て、何を聞いて、教師の行動をどのように感じて判断したのでしょうか。

本書では「教師が自然体で楽しそう」ということを、なぜ他者が「自然体で楽しそう」と感じるのか、逆に「不自然（作為的で）で楽しくなさそう」と感じるのはなぜかという要素を分解し、言葉によって可視化することで、教師自身の行動や状態を診断しやすくしています。その結果、より良い授業に近づけるための道筋が明らかになり、次のステップに向けての考えや行動を**教師自身がイメージしやすくなる**と考えています。

では、教師の考えや行動だけで良い授業は構成されているのでしょうか。もちろんその要素は非常に大きいと思いますが、それだけではありません。多くの授業観察を行っていくなかで、次のようなケースをよく目にすることがあります。同じ教師で同じ教科、同じ単元、同じ内容の授業であるにも関わらず、**クラスが変わるとまるで別人のような授業**（あるクラスでは良い授業であるが、別のクラスではまったく機能していない）を行っているケースです。

これは特に、コース制の私立中高や習熟度別クラスの担当者、専科担当者の授業などで起こりがちです。もちろん、小学校の教師で教科が変わると**突然授業が下手になってしまう**ケースもありますが、それは教師側の教科に対する得手不得手の問題や準備不足の問題などがほとんどなので、ここでの問題とは別にしています。

ではなぜ、このような現象が起きてしまうのか。異なっている条件は、クラス、児童生徒です。

児童生徒の人間関係、大きな学校行事の前後や長期休暇明けの時期、週初めと終わり、1限目と6限目、 水泳の授業の後などなど。 さまざまな状態や状況が考えられます。このように授業を行う教師にとって、児童生徒の状態や状況も良い授業を行う上での重要な要素であるといえます。この**児童生徒の状態や状況把握**と適切なサポートが、良い授業に向かうためには必要です。

読者のなかには、教師が頑張って、良い授業になるように一生懸命伝えれば児童生徒の状態や状況など関係ないのでは？ と考える方もいらっしゃるでしょう。もちろん、いずれ伝わる可能性はあると思いますが、時間がかかるし無駄も多くなります。どんなに良い内容やパフォーマンスでも、寝ている相手にはまったく伝わらないはずです。この児童生徒の状態や状況を把握し、適切なサポートを教師が行うためにも、それらを可視化できる言葉が必要だと私たちは考えました。

本書では、一部授業前後を含む教師の行動と児童生徒の状態や状況、行動について、良い授業に向かうためのコンピテンシーとして、項目別の一覧表にまとめました。主に教師側の視点を T、児童生徒側の視点を S、両方に関わる視点を T/S と明記しています。

1-2　本書におけるコンピテンシーについて

先に述べた良い授業を実現させるための考え方として、コンピテンシーに注目しています。文部科学省に置かれている中央教育審議会の平成20年答申1では、「コンピテンシー（主要能力）」とは、「単なる知識や技能だけではなく、技能や態度を含むさまざまな心理的・社会的なリソースを活用して、特定の文脈のなかで複雑な課題に対応することができる力」と記されています。

では、授業における教師のコンピテンシーには、どのような要素があるのでしょうか。

例えば良い授業の一つである「児童生徒をひきつけ、やる気を引き出すことができている授業」では、教師が本来備えている体・目・耳・口などの身体的な資源を目線・表情・立ち位置・発声方法・ジェスチャーなどとさまざまに工夫しながら、授業に自分自身の強みや特徴を活用しています。このような資源を活用する力をコンピテンシーと捉えると、授業においてさまざまなコンピテンシーを発揮している教師たちのなかで、前項で記した通り、共通の考え方や行動特性が認められます。そこで本書では、（1）授業における教師のコンピテンシーの定義を「授業において成果（児童生徒の成長）を出し続ける教師としての行動特性」とし、（2）また授業における児童生徒のコンピテンシーの定義を「授業において主体的に行動できる児童生徒の行動特性」とします（主体的な行動については後述します）。

さて、授業における教師のコンピテンシーを育成するためには、自分の持っている力（資源）を客観的に理解し、発揮する方法を知る必要があります。

ポイントとしては、

❶ 自身の授業を診断する：本書の診断票でチェック（自己／他者）

❷ 共通した行動特性とは何かを知る：本書で確認

❸ その行動特性の裏にある理論・考え方を学ぶ：本書で確認

❹ 行動特性を実践する：授業で実践

❺ 振り返りを通して、自分の適性に合った形にカスタマイズする：本書で確認

❻ 次回に向けて手立てや目標を考え、再度実行する

の6つが挙げられます。

1-3　授業における具体的な行動特性とは

授業中に見られる行動特性は、2種類あります。一つ目は、その場で現れる教師の行動特性（目に見える行動）、そして二つ目は、その場では現れない、あらかじめ準備（指導）されている教師の行動特性（目に見えない行動）です。

教室の掲示物を例にして、目に見える行動と目に見えない行動について説明します。

【例】教室の掲示物について

- **掲示物が剥がれていても、教師も児童生徒も直さない。** ➡ 目に見える行動
  （教室内の整理整頓にあまり意識がない）
- **掲示物が剥がれていたら教師が直す。** ➡ 目に見える行動
  （日頃から教室内の整理整頓を教師が心掛けている）
- **掲示物が剥がれていたら児童生徒に直させる。** ➡ 目に見える行動
  （日頃から教室内の整理整頓を教師が心掛けて、児童生徒にも伝えたい）
- **掲示物が剥がれていたら授業前に児童生徒が直している。** ➡ 目に見えない行動
  （日頃から教室内の整理整頓を心掛けている教師の思いを児童生徒が理解している）

※教師の思いにかかわらず、自主的に児童生徒が行動している場合もある

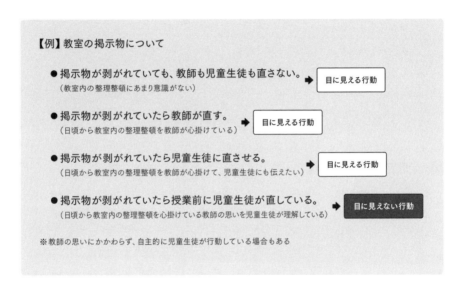

さらにコンピテンシーを意識して授業を観察する上で重要な要素や状態について、項目をわけて確認していきましょう。

この項目を基に本書の診断項目を作成しています。

1-4　授業において確認すべき要素や状態

❶ 学習環境（授業の開始）

授業開始の号令の前までに、児童生徒が授業を効果的かつ効率良く受けることができる環境が整っているか、ということです。確認項目としては、

①教室の清掃状況（本書籍では診断外）
②授業前の着席状況
③授業前の準備状況（必要教材が準備されていて不必要な物が片付けられている）
④号令や開始前の態度から見える児童生徒の姿勢（心構え）

などが挙げられます。

❷ 人間関係（リレーション）

授業を通して見えてくる人間関係についても、授業全体を通して確認する必要があります。どんなに授業内容が素晴らしいものであっても、児童生徒に受け入れる態勢がなければ伝わりません。また、話し合い活動においても気兼ねなく、活発に話し合える関係性が必要不可欠です。さらに、教師から児童生徒への適切な関与（声かけ・注意やほめるなど）も授業をつくり上げる要素となります。確認項目としては、

①児童生徒と教師のリレーション
②児童生徒同士のリレーション
③教師からの関与

について観ていきます。

❸ 授業のルール

これは、授業中の行動規範のことです。多人数で授業を受ける以上、集団として行動する上でのルールが必要です。もちろん、ルールを守ることに意識を集中しているクラスより、児童生徒がルールを“当たり前のこと”として無意識に実行しているクラスの授業のほうが、効果的に授業が

進んでいくことは言うまでもないでしょう。そのため、ここでは、授業ルールが

①無設定　②設定初期　③確立期（意識）　④成熟期（無意識）

の、どの段階なのかを観察する必要があります（本書では初期段階と中期〜まとめの2段階で設定）。

❹ 授業者（教師）の特性

授業者の見え方・話し方・性格などの個性の活用状況のことです。意識して努力すれば身につけることができる項目です。確認項目として

①表情　②発声・口調　③目線・体の向き

などが挙げられます。

❺ 指導技術

教師の授業を効率良く効果的に進めていくための指導スキルのことです。確認項目として、

①プレゼンテーションスキル（説明力）
②ファシリテーションスキル（引きだす力）
③発問スキル
④板書スキル
⑤時間管理
⑥授業ルールの完成度
⑦指示の徹底／児童生徒への関与
⑧教材教具の活用
⑨丸付け／答え合わせ／ノート指導

などが挙げられます。こちらも意識して努力すれば、身につけることができる項目です。

❻ 学習活動

授業全体の動きや構成に関することです。教師だけでなく、児童生徒の活動や授業に対する意識も含まれます。確認項目として、

①めあて・ねらい・まとめ
②自力解決への取り組み
③机間指導
④児童生徒の活動（調べ学習・話し合い活動・体験的な活動・ICT活動）

などが挙げられます。

❼ 授業内における児童生徒理解

児童生徒が効果的に学ぶための情報を持ち、活用しているか確認することです。確認項目としては、

①発達段階に応じた指導
②性差の違いに応じた指導
③学習状況の把握
④性格・特性の把握

などが挙げられます。この項目は、教師もしくは観察者がその場で発見できない場合、教師が理解をしていても、過去の背景やすでにできあがったリレーション等から、対応できない場合が含まれてきます。授業終了後のフィードバックで確認していく必要があるでしょう。

1-5　学校経営の視点で

毎年のように多くの教員が新規採用される時代です。校長として授業観察をするとき、**「初任の先生だから、授業がうまくないのはしかたがない」**というふうに思うこともあります。しかし、児童生徒やその保護者の目線で考えたときにそれで良いはずがありません。かわいい我が子に対して、「初任の先生が担当だから数学の授業がわからなくてもしかたがない」とは思うはずもないのです。

もちろん、初任者だから授業の経験がない（少ない）ことはわかっています。ですから、どのように指導すれば経験がほぼない初任の教師へ**「目指すべき授業」のイメージ**を伝えることができるのか、また、いち早く**児童生徒および保護者が安心できる授業スタイル**の確立をサポートする方法がないものかと思案してきました。

今回の診断票を活用することで、初任の教師に対しても、自校の目指すべき授業の重点項目を具体的に可視化して示すことができます。また、初任者自身が授業を客観的に振り返る機会にもなるでしょう。自身の改善すべき課題を明確にし、ステップアップするための手立てを考え、行動することで、効率よく授業スタイルの確立ができるものと考えています。

また、新学習指導要領が目指す授業はこれまでの授業とはスタイルが異なります。むしろ経験が長いベテランと呼ばれる人の方が苦労するのではないでしょうか。また、年齢や経験によらず授業の形を変えようと行動することは、大変エネルギーが必要なことです。だからこそエネルギーを使うにふさわしいと納得できる考え方（意識）が必要です。キャリアの浅い教師でも「自分が教わってきた授業スタイルをまねて、指導書に書いてある通りに教える授業をしよう」と考えていたのであれば、今までの当たり前である「教え込みの授業」からの脱却が難しいでしょう。教師は「教えるのが仕事だ」という意識をどのように変えさせるかが大きなポイントだと考えます。

授業観察も常に「児童生徒の目線」から考えてもらいたいものです。教室の後ろからだけで授業観察を行う管理職がいますが、教師の発問や発言で児童生徒がどのような反応をしているのかを自分の目で確認することが大事だと考えています。授業観察するときは前扉の横から児童生徒の顔や表情を見ることも大切です。児童生徒が目を輝かせどれだけ授業に集中しているか、授業者の発問やほかの児童生徒の発言を聞いてどれだけ真剣に考えているかを観察することで、授業者の授業が児童生徒にとって良い授業になっているのかがわかると考えています。

MEMO

2

授業の観点の基本的な考え方

Basic way of thinking
a point of view on classes

2-1 「授業を観る」とはどういうことか

文＝RTF教育ラボ　野田雅満

「授業を観る」というとき、あなたはどんな視点を持って観察するでしょうか？

例えば教師が児童生徒にどのように声をかけ、それに対して児童生徒がどう反応しているか――そうした「教師と児童生徒の双方向のやり取り」の場面を注視する人もいるでしょう。

どのような授業であれ、そこには教育者（教える人）と被教育者（教えられる人）がいます。たとえ学校の教師や職人世界の師匠、職場の先輩といった「教える立場」にある人であっても、新たに学ぶことは多くあります。より年長者である先輩や教師から学ぶことはもちろん、後輩や弟子、児童生徒から学ぶこともあるかもしれません。

この章では、いくつかの教育学、教育法の研究を参考にしながら、「授業を観る」とはどういうことか、について考え定義づけてみることが目的です。私自身、島根県での教員経験を基に大学で教育研究をする傍ら、起業した教育事業で政治に関する授業をつくったり、検定事業を始めたりしましたが、そのなかで子どもや後輩から「学ぶ」経験が多くありました。

そこで、本稿では、「授業の観点」について「学ぶ場面」を念頭において考えてみたいと思います。まず、「学ぶ場面」において、「教える人」と「教えられる人」の関係は、大きく4つの場合にわけられます。「教える人」が「大人」であるときと「子ども」であるとき、そして「教えられる人」が「大人」であるときと「子ども」であるときで以下の組み合わせが発生します。

❶ 教育者：大人、被教育者：子ども
❷ 教育者：大人、被教育者：大人
❸ 教育者：子ども、被教育者：子ども
❹ 教育者：子ども、被教育者：大人

ここでいう「教育者」とは「教える人」、「被教育者」とは「教えられる人」のことで、「大人」とは「先生や師匠、先輩」、「子ども」とは「児童生徒や弟子、後輩」を指します。

また、❶～❹の並び順は、一般的に発生する頻度が多いと考えられる順番です。「学校の授業」という特殊な時間と場所のなかで、これらの関係性がどのような効果を起こすかについて分析し、整理してみましょう。

❶ 教育者：大人、被教育者：子ども

この場合の「授業の観点」とは、子どもの成長に合わせた、大人の教育的行動が主な観察対象となります。これについては数多くの研究がなされてきました。なかでももっとも多いのは「教科教育法」と呼ばれる研究分野で、主に大学などで教職課程を履修する際に学ぶものです。その研究領域は、教科ごとに存在します。一般的に、日本における教育の歴史は、「発達を教育に変えていく」という思想から発展してきたといえます。発達とは、動物の本能としての成長の

ことを指します。このとき、人間というより生物としての「ヒト」という表現が正しいでしょう。ヒトは生まれてから、哺乳類としての本能に基づいて母乳を飲み、四つん這いで歩くなどして体を成長させ、周囲の力を借りながら大人へとなっていきます。この過程で、動物としてのヒトは社会性を獲得し、人間として成長していくのです。

例えば、四つん這いの赤ちゃんに対して、「自転車を乗りこなせるように取り組ませること」を想像するのは難しいでしょう。人を育てるということ、つまり教育という行為には、常に体や心の成長段階があり、次のステップに進める準備が整っていることが重要なのです。それをここでは「レディネス（準備性）」と呼びます。レディネスとは、ある時点や段階に適切な取り組みができ得る前提条件や環境、準備のことです。

先ほどの例でいえば、自転車を乗りこなすためには少なくとも、体の発達として歩くことができること、漕ぐとはどういった行為なのかという「知識」と三輪車などで漕いだという「経験」があること、練習できる環境があること、ツールとして自転車があることなどが条件ということになります。

ヒトから人間へ発達する流れに対して、私たちの祖先は大変絶妙なタイミングで教育を施してきました。例えば昭和の高度経済成長期の教育では、即戦力となる社会人が多量に必要になり、公平で平等な教育、均一で大量生産型の教育が行われました。今では画一化教育と昭和期の教育を批判する言葉もみられますが、当時の社会情勢を鑑みれば、これがベストだったのでしょう。

その是非はともかく、この時代の授業とは、広く一般的にみられる日本の教育イメージとなりました。いくつか特徴を挙げるならば、形式と内容にわけると、以下のようにまとめられます。

【形式】

- 自治体ごとに用意された学校などの施設で、大人が各教科内容を伝える

【内容】

- 国語や算数、理科、社会、外国語（算数は数学に、理科は化学や物理へと細分化）
- 音楽、美術、保健体育、技術家庭、情報などの系統的なカリキュラムの実施

このなかで、最適な教育方法や教材、教師のあり方や適性が決められてきたことになります。以上で述べた構造は、大人→子ども以外に、大人同士にも当てはまります。

❷ 教育者：大人、被教育者：大人

昭和期の教育の仕組みが定着するより前から、日本にはすでに「先生」という役割を持った

人たちがいました。「先生」とは、学校という場を超えて、政治家や医者、弁護士などさまざまな役職に対して使われてきたように、自分よりも立場的に上、あるいは社会的に「誉れ(ほまれ)」とされる職業に従事する人たちの呼称となっています。

改めて考えると、大人でも、別の大人に対して「先生」という場合が多くあるのです。

では、「教える人」「教えられる人」がどちらも学校の「先生」となった場合はどうでしょうか。例えば教師間には、同じ教科担当の「先輩」「後輩」という関係性が生まれます。先輩は後輩の面倒をみるものとするならば、あなたの後輩が、あなたと似た場面や経験で失敗したり、悩んだりしている場面で、適切に指導をするということがあるでしょう。

こういった場面では、どのような指導方法が正しいのかについても、「教師教育論」という観点で研究がなされてきました。

このように、学校の教師が職業的に成長するような場合も、レディネスに合わせて教育がなされます。

例えば国語や数学、化学や社会など教科の専門性に特化した教え方から、教材のつくり方、学級経営や学校経営まで、立場が変わり、経験年数が経つにつれて、学ぶべきことが変わるものです。

この時代に、授業において教師同士が学びあう環境づくりがあるとすれば、TT(チームティーチング)や、教育実習といった形で複数人の教師(もしくはそれに準ずる学生)がいる教室内、OJT、教員研修などが、教師同士の学びの場ということになります。

この現象と同じように、子どもたちのなかでも個々の成長に合わせて、子ども同士での教育行為が起こります。これが❸で説明する構造です。

❸ 教育者:子ども、被教育者:子ども

子ども同士での教育行為は、学校に限らずさまざまな場面のなかで発生します。例えばそれらは、代表的な研究のなかで、「学びの協同体」「学び合い」と呼ばれています。

多くの教育学者の研究が発端となって進められ、いまだに研究がされている「学びの協同体」「学び合い」とは、教師が一歩引いて、子どもたちの学習活動の時間を授業内に多く設けることを指します。

現在では、公立・私立、また小中高校・大学・専門学校にかかわらず、探求学習においても、この考え方に端を発する子どもたちの学び合いに発展するような仕掛けが浸透してきています。また、話し合いやグループ活動が一般的になってきていますが、それは子どもたち自身が自ら並列的に学びを構成するということにもつながっています。「並列的」とは、二つの意味を持つ言葉です。一つに、子どもたちが個々に目標を持つということ。そしてもう一つが、「国語なら国語だけの評価」「算数なら算数だけの評価」という縦割りの評価を超えて、教科横断的に、子ども個々人を総合的にみて評価を行うということです。これまで一般的であった、大人が子どもたちの目標や学習課題を「学習段階」として一方的に設定するのではありません。

子どもたちが主体となる学びは、教育研究者の間では、一般的に「子ども中心の学び」などと呼ばれています。アメリカの教育哲学者J・デューイらが、研究課題を設定しました。
このテーマは、簡単に言えば、次の3点が重要となります。

①子どもの興味関心に基づくことである
②子どもたちの興味関心から、生活に根ざした授業を構成する
③子どもたち個々の成長を評価する

授業の構成は、教科別でありながらも、個人の特性や社会に存在するあらゆる職業（まだ存在しないものであることもしばしばありますが）を基礎として、子どもたちに身近な生活体験を中心に構成されるものです。

新学習指導要領にもある「主体的・対話的で深い学び」とは、こうした実践と研究の積み重ねによって、今、全国の学校において取り組まれようとしています。

例えば、「子ども中心の学び」の実践に長い歴史を持つ学校のひとつに、富山県の富山市立堀川小学校があります。年に一度開かれる研究大会には、全国から多くの参観者が集まります。私自身も毎年訪問させていただいているこの研究大会は、2019年度に90回を迎え、年々参観者が増えているという話を聞きました。
「子ども中心の学び」の実践には多くの特徴がありますが、ここでは子ども同士での教育行為に関連した二つの特徴を紹介します。一つ目が学習内容、二つ目が学習方法です。

学習内容とは、「子どもたちが何を学ぶのか」ということです。さらに言えば、「なぜ学ぶのか」ということでもあります。

堀川小学校のカリキュラムには、一般的な小学校同様、必要な時数が組まれています。国語や算数、理科、社会、外国語など時間割を見ても教科の内容は変わりません。例えば4年生の国語では『ごんぎつね』を取り扱いますし、5年生の算数では「合同な図形」を取り扱います。

では、ほかの学校と何が違うのか。堀川小学校の学習内容の特徴は「追究」にあります。堀川小学校では「追究」を、「子どもが身の回りの人、自然、文化、社会などの対象に出会うか、あるいはなんらかの出来事との出会いによって、自己のあり方を見つめ、見直し、生きる構えを深めていく」ことであると捉えています。

これはどういうことでしょうか。私が実際に参観した際に出会った場面を参考に、「子ども同士の教育行為」という観点から考察してみます。

授業のなかで、児童は「身の回りの人、自然、文化、社会などの対象」あるいは「なんらかの出来事」と多く出会います。例えば4年生の国語で『ごんぎつね』を取り扱った際、ある児童が「僕は、音読するのが大変でした」と感想を言いました。それに対し、ほかの児童がすかさず「どうして大変だったの?」と訊ねます。するとその児童は「僕のお父さんとお母さんはいつも仕事で話す時間が少ないから、ごんの気持ちがわかる気がして寂しくて、辛くて、音読するのが大変だった」と答えます。

このような人や出来事との出会いに対して、教師は一言も発さずに場面を見守ります。

また、別の児童は続けて「私はお父さんが働いているけど、お母さんはいつも家にいるのが当たり前だったと思っていた。今の話を聞いて、もしもいなかったらと思うと、とても寂しくて、音読するのが大変だな」と感想を続けます。

授業の最後には、必ず感想を書きます。発言をしなかった児童のなかに、「僕はお父さんが生まれたときからいなかったから、ごんもきっと同じくらい寂しいのだと思いました。友だちの優しさに気づけるようになりたいと思いました」と書き留めながら、静かに涙を拭う少年の姿がありました。

「自己のあり方を見つめ、見直し、生きる構えを深めていく」ことがこの場面のなかにあるように感じました。

一般的には、授業時間の制約がある以上、教師は介入せざるを得ないと思われる方もいるかもしれません。しかし、堀川小学校では、ここで児童の話を遮って話を要約しようとしたり、まとめたりようとしたりすることをあえてしません。この様子を見て、子ども同士の教育行為には、子ども同士にしかわからない空間があるように思いました。

児童が教科内容の本質に浸るためには、児童自身が本当に気になることや、本当に思ったことを表現できる空間づくりが必要不可欠です。

そのための学習方法の特徴として、堀川小学校の「くらしのたしかめ」と「追究予測」についても、ご紹介しましょう。

皆さんはもしかしたら、児童にとって「なぜ・どうして」という言葉はまだ難しいのではないか、と感じられるかもしれません。しかし、堀川小学校では1年次からじっくりと、授業内外問わず児童自身が生活のなかで個人テーマとして気になる話をする・聞く時間が設けられています。その取り組みが「くらしのたしかめ」であり、毎日の朝の会、帰りの会に設けられています。

次に、私自身が参観した際の、同校の２年生児童の発言を紹介しながら、その特徴を考察していきます。

「僕は走るのが好きだから、運動会の50m走を頑張りたいと思うんだ」

そんな何気ない一言に、別の児童は「どうして走るのが好きなの?」と訊ねます。シンプルですが、難しい質問です。１分ほど静寂が流れ、しばらく考えた児童は、「先生が毎日、休み時間に50m走のタイムを測ってくれるでしょ。速くなると一緒に喜んでくれるから、それが嬉しい」と答えます。話を聞く児童の表情も明るくなります。「私は走るのが苦手だったけど、今の話を聞いて、ちょっと頑張ってみようかなって思った。私もタイム測って欲しいから一緒に走ろう」と、別の児童が続きます。それに対してまた別の児童から、「僕も頑張りたい」とか「私は苦手」と、ポツポツと発言が続きます。

この間、教師は一言も発さず、児童の発言を、嬉しいことを黄色、質問を緑色、頑張ることを赤色……といった具合に色わけをして、黒板にまとめていきます。

こうした場面が当たり前の文化となっている堀川小学校では、授業における児童の思いや関心への「追究」が、子ども同士の教育行為につながっているのでしょう。

「教師がただ見守るだけではなく、観察・予測する」ことが、堀川小学校の特徴である「追究予測」です。「追究予測」とは、子ども同士の教育行為の実際をつぶさに観察しながら、単元ごとに各児童がどのように想いを馳せ、どこに注目をしそうか、ということをまとめていくことです。

研究大会で配布される指導案の「児童の実態」欄には、その予測項目がきめ細かく記されています。これまで児童が学んだことをどのように表現してきたか、生活の背景、住んでいる環境、子ども同士や大人とのかかわりなど、さまざまなことを予測の要素としています。

先ほど紹介した『ごんぎつね』の指導案にも、「音読するのが大変」と発言した児童の背景について、教師には予測できていたことが記されていました。

また、予測を検証・分析するために、授業の様子を記録するボイスレコーダー、ビデオカメラを教室に設置しています。1日の授業が終わる度にそれらを文字に起こし、児童のどのような発言に対し、ほかの児童がどのように反応しているのかを分析し、まとめているのです。

もちろん、それらの予測がすべて的中するということではありませんが、子ども同士の教育行為が円滑により良いタイミングで発生するよう、堀川小学校における一つの文化として取り組まれています。

堀川小学校の実践から「子ども中心の学び」とは、「子どもだけの学び」ではないことがわかります。教師はあくまでサポート役ですが、必要な存在です。

❹ 教育者：子ども、被教育者：大人

子どもたちは、大人が知らないことをたくさん教えてくれます。これは一度でも教えたことがある人であれば、実感や経験を伴って理解できることでしょう。

もっと抽象的に言うならば、教えるつもりが逆に「教えられた」経験を持つ人も少なくないのではないでしょうか。

これまでに出てきた関係性に言い換えると、子どもたちに教えられた先生もいるでしょうし、後輩教師に教えられた先輩教師もいることでしょう。

心理学者で精神科医でもあったE・H・エリクソンは、代表的著書『幼児期と社会』で、この発達原理について詳細に述べています。どのような場合にこのような教育者と被教育者の逆転現象が発生するのかというと、「教育者としての危機」への直面であるといいます。例えば教師であれば、教師としての成長の限界を感じたり、解決できない子どもの問題に直面したり、時代の変化についていけないことを感じたりするときに、この逆転現象が起きるのです。

このとき、教育者はなんとかしてうまくやろうとするでしょう。これは解決への意志であり、成長への意志です。教科についてのみ教えるのではなく、問題の状況や特定の課題に対して、教師という大人自身が学び危機を突破しようとする、まさに成長への意志といえます。

授業の観点で、教師が子どもたちから教えられたことを認識するためには、たくさんの第三

者的な視点が必要になります。そのためには、教師が無意識にとっているさまざまな行動を意識しなくてはなりません。

◎無意識な行動と意識的な行動

教師の意識的な行動と、無意識的な行動について考えてみましょう。

私たちが目指しているのは、教師が無意識的に子どもたちの成長を促せる行動を行えるようになることです。

改めて場合わけをするならば、教師の行動には、「無意識的なもの」と「意識的なもの」があります。子どもたちへの影響という点でみると、「成長を促すもの」と「成長を妨げるもの」があります。

今度は、いくつか例を挙げながら考えてみます。なお、ここでは意識的に子どもたちに悪影響を及ぼす行動をとる教師はいないものとして、話を進めます。

まずは、授業の始めの挨拶を思い浮かべてみてください。全員と目を合わせようとしたり、呼吸を合わせようとしたりすることが、子どもたちにとってどのように有効なのかを考えている、ある教師がいるとします。この教師は、意識的に子どもたちの成長を促せる行動ができる教師です。

逆に、挨拶による子どもたちの成長を考えておらず、目を合わせないで挨拶を行う教師もいることでしょう。先ほどの例とは異なり、この教師は無意識に子どもたちの成長を妨げる行動をする教師です。

一方で、挨拶による子どもたちの成長を考えてはいないけれども、もしくは当然のこととして捉えているために、目を合わせてから挨拶を行う教師もいます。この教師は無意識ではあるが子どもたちの成長を促せる行動ができる教師です。

私たちが目指している理想の教師像とは、教師が無意識的に、子どもたちの成長を促せる行動を行えるようになることなのです。無意識な行動を同僚の教師に見られた際、「その行動は実は子どもたちの成長を促すことにつながっているよ」と言われたとします。言われなければ無意識の行動だと気づくことはありません。無意識にとっているさまざまな行動（それが子どもたちにとって良いか悪いかは一旦おいておいたとして）を自覚して、意識的になることが必要です。

では、意識できるようになってからは、どうしたらいいのか。それが「授業を観る」という行動につながります。目的は「子どもたちにとって成長を妨げる行動を少なくし、成長を促す行動を多くする」ということです。

実践する際の順序は次の通りです。

①教師が無意識の行動に気付く
②一つひとつの行動を、「子どもたちにとって良いのか悪いのか」を軸にアセスメントする
③意識的に行動するようにする
④さらに無意識に行動できるようになる

このように教師の行動を改善しようとするとき、本書で取り上げる診断票は役立つものとなります。診断票を活用し、子どもたちの反応から教師自身の成長につなげていくとともに、教師は診断票を軸にして子どもたちからも学び、成長することができるのです。

2-2 キャリア教育／管理職の視点

文＝RTF教育ラボ　西村豊

第４次産業革命や5Gなど、情報技術が大きく変化しています。と同時に、人口減少の問題も大きな課題であると考えています。このように大きく時代が変化していくなかで、学校教育だけが旧態依然としたものであって良いはずがありません。新しい「学習指導要領」の本格実施がその大きな 問題に立ち向かおうとしています。「主体的・対話的で深い学び」がキーワードですが、教師主導の授業から児童生徒が「どのように学ぶのか」に転換することを中心に置いて考えていかなければなりません。

しかし、この教師主導か児童生徒主体かの議論は今に始まったことではありません。そのこと自体は随分前から言われていたことなのです。まさに学校現場が変わることができない現実が、今までは続いてきたとも言えます。私はそんななか、常に「本当の意味で子どもたちのために」を合言葉のように取り組んできたつもりです。大人になって自分で考え、判断（ときには決断）して行動できる。つまり、自立できることが学校教育の大きな目標でなければならないと強く考えています。

そのためには、児童生徒が何事においても「自分事」として捉え考えなければならないのです。学校が、教師が、児童生徒を「主体的にする」とは何かを真剣に考えなければなりません。そして、何よりも大切なことは、教師自身が「主体的になること」だと思います。授業で話し合い活動をさせる。発言を促す。発表をさせる。このこと自体は主体性を養う意味で大切なことですが、教師にも児童生徒にも「やらされている感」が少しでもあったなら、それは「主体的」ではなく、「自分事」でもありません。これからの時代は常に選択を迫られ、自分でどうするかを考え、判断（ときには決断）して行動しなければならないのです。そのために、 主体的な児童生徒の育成が迫られているといっても過言ではないでしょう。

皆さんは「パラダイムシフト」という言葉をご存じでしょうか？ それまでの常識が一挙にひっくり返ってしまうような変化のことを指します。このパラダイムシフトは、日本だけでなく全世界で起き始めています。前述の第４次産業革命等による情報技術の変化、AI（人工知能）やロボットによる職業の変化やリモートワークをはじめとした働き方の変化もパラダイムシフトの序章と言えるでしょう。

しかし、組織は大きくなるほど保守的になり、大きな変化を受け入れたがらないものです。学校もその一つだと言えます。また、個人に目を向けると、変化を受け入れることができる人もいれば、受け入れられない人もいます。私は教師や保護者、地域の人たちと話をしていて、それを受け入れられる人間と受け入れられない人間にわかれると感じています。老若男女関係なく変化に対応できない人がこんなに多いのかと、不思議に感じてきたのも事実です。

これからの教育界には、このパラダイムシフトが必ず起きますし、もうすでに起こり始めているといっても過言ではないでしょう。だからこそ、この「パラダイムシフト」という価値観の劇的な変化に対応できる人に児童生徒を育てていく必要があり、そのために教師もその事実を素直に受け入れ、素早く対応する必要があると考えています。

そして、もう一つ必要なことは、「自分が何をやりたいか」を極められる力だと考えます。「どの学校でもやっていることだ」と教師は思うかもしれません。しかし、児童生徒自らがそれを探す取り組みであったり、授業であったりすることはなかなか難しいのが現実ではないでしょうか。

❶ 学校教育の変化

大きく時代が変化していくなかで、学校教育だけが旧態依然としたものであって良いはずがありません。学級の集団に対して一人の教師が教えるといったかたちは、明治時代から百数十年続いているのです。

さらに、教師には教師の教科書ともいえる「学習指導要領」があります。その学習指導要領に準拠した教科書があり、その指導書もあります。この学習指導要領に則って授業を行わなければならない縛りがあるのです。逆に言えば、何も考えずにその通り行っていれば問題はありませんでした。しかし、現在は第4次産業革命やAI（人工知能）の登場、少子高齢化の時代に突入しています。今の学校教育には、今後予想される激しい社会変化に対応できる人材の育成という大きな課題があるのです。

今の児童生徒に向けて、どのように変化するかわからない時代を生き抜いていかなければならないことを前提とした学校教育に変化させなければなりません。授業だけではなく道徳や特別活動・学校行事等のすべての教育活動に小手先ではない変化が求められてきています。

教師が授業の中心となり、教科書を使い、教師の知識を話と板書で伝達してきた授業（チョーク&トークの授業）からの大きな変化が、今まさに求められています。

学校が、教師が、目の前にいる児童生徒を「どんな大人になって欲しいのか」を考え、教育活動全体を見直し、地域・保護者の願い、学校や児童生徒の実態に合った「育てたい児童生徒像」を明らかにしておく必要があります。

- 目的を意識し、さまざまなことに当事者意識を持つ児童生徒
- 自分で考え、判断し、自分の責任で行動する児童生徒
- 失敗を恐れず、何事にも何度でも挑戦しようとする児童生徒
- 自分の良さに気付き、その良さを大切にし、伸長しようとする児童生徒
- 自分の苦手とすることも受け入れ、少しずつ改善のための努力を行う児童生徒
- 自分に与えられた役割を誠実に遂行しようとする児童生徒
- 人に喜んでもらえることに意義を感じ、進んで取り組もうとする児童生徒
- 自分の考えをしっかり表現するとともに、ほかの人の考えも率直に受け止め、周りの人と協力しながら、課題を解決しようとする児童生徒
- 現状の課題を分析し、改善するための手立てを計画し、実行しようとする児童生徒

そのためには、教育活動の一つひとつの目的を明確にし、その達成のための手段・方法が学校の教育活動であることを教師自身が忘れてはならないと思います。

新学習指導要領では「主体的・対話的で深い学び」をキーワードにしていますが、現在の教師は自分自身がそのような授業を受けたことがないのにできるのでしょうか？ ICT機器の活用も同じです。教師にとっても初めてのことばかりのこれからの教育現場です。

「(教科書に書かれていることを) 教えるだけが教師の仕事!」と考えていたのでは、先述の新しい教育課題の解決は難しいことでしょう。考え方を進化させる必要があります。

「あなたの授業で児童生徒にどんな力をつけようとしていますか?」と教師は問われています。世の中の変化、社会の変化に学校の教師は敏感でなくてはならないのではないでしょうか。初めてのことばかりだからこそ、今まで以上に視野を広げて、失敗を恐れずに、児童生徒と一緒に成長していってもらいたいと考えています。

さて、ここからは具体的な例を紹介します。授業については別章で具体的に書かれるので、ここではあえて、行事について触れておきます。

宿泊学習の事前保護者会で校長として挨拶をするとき、決まってする話があります。

「荷物の準備は子ども自身にやらせてください。何年か前の出来事です。風呂へ入る前の男子がカバンに向かって怒っていました。『どこにしまったんだよ!』。この一言ですべてが理解できたと思います。そこに当事者意識がないのです。親は『忘れ物があるとかわいそうだ』と考え、いつまでたっても準備をしない我が子に代わり、準備をしてあげる。それは本当の意味で子どものためにはならないのです。3日間同じパンツを履いていても死にはしません。忘れ物をしたらきっと嫌な思いをすると思いますが、その経験が大人になって役に立つと思うのです。必ず準備は子どもにさせてください」。

さて、いかがでしょうか？ こんな例は、いくらでもあります。

❷ 授業を通してのキャリア教育の必要性

皆さん、キャリア教育にはどのようなイメージをお持ちでしょうか？

就職や進学の相談や職場体験といったイメージを持っていらっしゃる方も少なくないと思います。もちろん、そのこともキャリア教育の一部ではあります。

では、「小学校でのキャリア教育とは？」と聞かれて、何を行うかイメージできますでしょうか。「うーん」と考えてしまった方もなかにはいらっしゃるのではないでしょうか。なかなかイメージしづらいと思います。私が小学校校長時代に職員会議でキャリア教育を提唱した際、ほとんどの教師から「何をやったらいいのかわかりません」と訴えられたことを、最近の出来事のように思い出されます。

ではここでキャリアとは何か、またキャリア教育とは何かについて少しまとめていきましょう。

キャリアとは、

人が、生涯の中で様々な役割（職業人、家庭人、地域社会の一員として）を果たす過程で、自らの役割の価値や自分と役割との関係を見いだしていく連なりや積み重ねが、「キャリア」の意味するところ。

（中央教育審議会「今後の学校におけるキャリア教育・職業教育の在り方について（答申）」一部抜粋）

また、「キャリア教育」とは、

一人ひとりの社会的・職業的自立に向け、必要な基盤となる能力や態度を育てることを通して、キャリア発達を促す教育と定義されています。

（中央教育審議会「今後の学校におけるキャリア教育・職業教育の在り方について（答申）」）

少し難しい定義なので、私は教職員へのキャリア教育の説明として「子どもたちが、社会の一員としての役割を果たすとともに、それぞれの個性、持ち味を最大限発揮しながら、自立して生きていくために必要な能力や態度を育てる教育（＝生きる力の育成）」と伝えています。要するに、「子どもたちをいかに自立させるか」なのです。学校のなかで児童生徒は基本的に受け身です。習う・教わる・覚える・練習する。みんなと同じ行動ができなければなりません。人（先生）の話しは黙って聞かなければならないし、勝手な私語やよそ見をしていてもいけないのです。授業中に寝てしまったり、その場から離れてしまったりすることは言語道断です。これがほとんどの日本の教育現場であることはご存知の通りだと思います。小学校から中学校、高等学校、そして大学ですらそうかもしれません。もちろん集団で同じ行動をとることも必要ですし、集団のルール・規律を守ることはとても重要です。問題なのは主体的ではないということです。「何のために（目的意識）」が薄いために、自分の行動の意味や行動に対する判断理由また行動に対する責任が感じられないことが問題なのです。

主体的でないことは授業中だけではありません。部活動や各種行事（運動会・文化祭・合唱コンクール・宿泊行事）の練習から本番まで、すべての活動のほとんどが受け身であることが現状のようです。私が今まで勤務した学校も残念ながら例に漏れず、同じような状況でした。子どもや教師が悪いわけではない。学校内の意識や今までのしきたりが原因なのであれば、まずは学校にかかわりがある方々との意識の共有と同意が必要だと考えました。

「子どもたちの未来のためになんとかしたい。そのためにはまずは教職員、保護者、地域が理解し、納得して主体的に行動してもらいたい」という強い想いを、職員会議や保護者会、PTAの集まり、学校だより等、ことあるごとに伝えてきました。

こちらは実際に私が勤務した小中一貫校の職員会議で提示した資料の一部です。

〈小中一貫校校長時代、2015年度職員会議資料〉

キャリア教育を推進するための教師の基本姿勢は

- 教育活動を展開するときの基本の考え方は、手段と目的をはっきり区別して考えること。
- 例年通りの考え方から脱却し、常に「なぜ？ 目的は？」の原点に立ち戻って考えること。
特に、子どもたちにどのような力を身につけさせたいのかを念頭に置くこと。

今後、意識して取り組むべき内容とは

- 学校で行われる全教育活動の場（関連図）が、子どもたちに、自分で考え、判断し、行動する態度や能力を身につけさせる絶好の機会と考え、全教職員でそれに当たる。
- 学びへの好奇心を持ち続けたり、学ぶ面白さを実感したりするなど、生涯にわたって学び続ける意欲や態度につながる学習活動を展開する。
- 教師と児童・生徒、児童・生徒同士（グループやチーム）などで相互に知性を高めあい、主体的に問題を発見し、 答えを見出していくような能動的学習（アクティブラーニング）への転換を図る。
- 積極的に体験活動を取り入れ、子どもたちが主体的に考え、計画し、実行できるような機会を増やす。また、成功や失敗などの体験を活かし、新たな挑戦への意欲につなげる。
- 学ぶことと働くことの意義について、また、社会人として必要なコミュニケーション能力などについて、地域や社会から直接学べる機会を多く取り入れる。

⬇

具体的な内容については、先生方の熱い思いやアイデアが必要！

一例として

①抜本的な授業改善

→ 各教科におけるアクティブラーニングの導入、指導技術の向上（学習形態の工夫、教育機器の導入と活用）、個への対応（ポートフォリオの活用）

②行事（儀式的、文化的、体育的、旅行的、奉仕的）の見直し

→ 各行事の目的の再確認、生徒が主体となって活動する機会の充実（企画から実行員会や係り活動まで）、児童生徒の手による運営（責任と自覚）

③国際コミュニケーション科（総合）の見直し

→ 姉妹校交流や外国人との交流を通した活動の実践、ユネスコスクールとしての活動

本校の教育活動の関連図

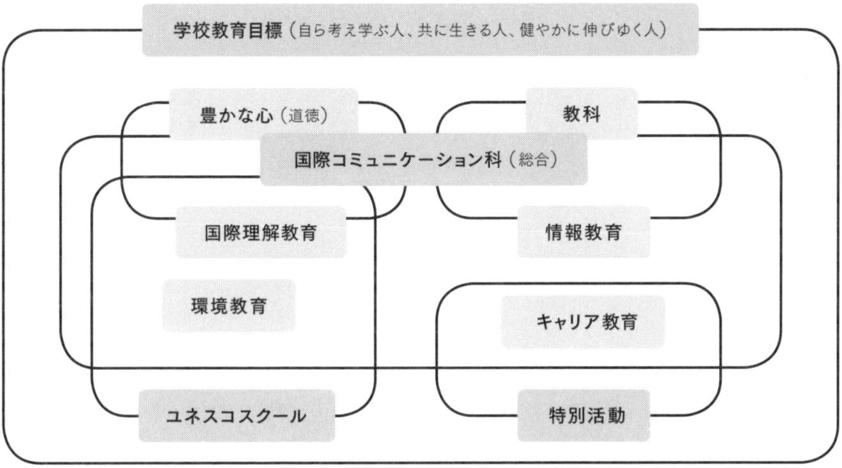

図を見て分かるとおり、従来のキャリア教育は学校の教育活動のほんの一部にしか過ぎない。従って、ここで考えているキャリア教育とは、従来のせまい意味でのキャリア教育ではなく、学校の全教育活動を通して、児童・生徒の自主的・主体的な人間力の育成にある。まさに、学校教育目標（・自ら考え学ぶ人・共に生きる人・健やかに伸びゆく人）の実現にある。

以上資料抜粋

4年間の着任期間で、一定の成果を上げることはできましたし、児童生徒も確実に主体的に変わってきたと自負しています。しかし、すんなり何事もなく進んだわけではありません。教職員からの反発や一部の保護者からのクレームも少なからずありました。何度説明されたとしても、説明された側が経験したことがないことをイメージして納得し実行することは難しいものです。失敗することでの評価を気にします。無意識にやらない理由探しを行うわけです。また保護者にとっては我が子が現在苦労していることを黙って見ていることは辛いものです。自立するためには自分自身で考えて判断して行動しなければならない。当然失敗もするわけで、本人がイライラしたり、嫌になったり、愚痴を言ったりするわけです。我が子の未来につながるとわかっていても、現在困っているのです。保護者として今をなんとかしてあげたいという気持ちは十分にわかります。その気持ちがわかった上で、しっかりと話を聞いたのち、「子どもが自分自身で行動し、失敗を糧に乗り越えることが子どもの成長に必要で、保護者として今は我慢して見守る協力が不可欠であること」を何度も根気よく伝え続けました。

今でも諦めずに伝え続けることの難しさを痛感しています。私自身も教員になりたての初任者のころから今のような考え方を持っていたわけではありません。本書のテーマであるコンピテンシー

（思考／行動特性）に則って私自身がどのように変わっていったのか、教員時代から現在まで、どのように考え、行動してきたのかを中心にお伝えしていきます。

a. 教員時代

私は技術科の中学教員として「物づくり」を指導してきました。俗にいう荒れた学校で、不良と言われる生徒たちも「物づくり」には興味を持っていたように思います。つくったものが形になっていくという、わかりやすさがあったのかもしれません。英語や数学などの座学中心の授業では暴れまわっていたので、単純に「なぜだろう?」と常に考えていました。

その当時は授業や教師の原因がほとんどであるとは気づかずに、生徒が悪いと決めつけ、力でねじ伏せていました。なぜならそれは、生活指導の問題であって、誰も授業の問題、教師側の問題とは捉えていなかったのが当時の常識だったからです。私もその一人ではあったのですが、常に生徒に寄り添い生徒を無理やり更生させようとしなかったことは大きかったと思います。必ず生徒一人ひとりにはその問題を起こす背景があり、問題を起こさざるを得ないのでは、と考えていたからです。

また、家族や家庭にそれぞれの事情があることで問題を起こす生徒もいたのですが、そういう生徒たちの多くが抱えている問題が、学習の遅れであることに気づいたのは、教員生活3年目あたりの頃です。学習の能力や資質の差もあるとは思いますが、中学校に入るまでまたはその途中にさまざまなことが起こり、学習に対して意欲をなくし教師に対しても反抗的になっていった生徒がほとんどだと思います。

「キャリア教育」という言葉に出会ったのは3校目でした。総合的な学習の時間も始まり自分も不安な想いで、総合的な学習の時間にキャリア教育もどきを行ったことを今でも覚えています。職場体験が一部の県で始まったのもこの頃で、こちらの話は別な機会に詳しくお話いたします。

さてこの頃、「進路指導に問題があるのではないか?」と考え始めました。小中高それぞれの最終学年のときに、「進路を自分で決めなさい」と言われます。それまですべてを支配してきた大人が、そのときだけは「自分のことなんだから、自分で決めなさい」と言います。この傾向は年々強くなっていっていると思います。先生に反抗している生徒も「本当はいい成績をとりたい、そして進学もしたい」と思っているのかもしれないのです。

先生にとっては、「言うことを聞くいい子」は扱いやすいし、先生の言うことを聞かない子は悪い子なのです。時代の変化はありますが、当時はそれが当たり前でした。今これを読んでいる「あなた」もそんな教育を受けてきた一人ではないでしょうか。そして、そこに矛盾や疑問なんてまったく感じてこなかった人が多いのではないでしょうか。

教師側から見れば、学校は集団生活の練習を体験させる場です。集団での生活にはルールがあり、それを守らせること（強制か主体かは別として）がその子どものためなのだという自負があります。

私自身も、中学3年生の担任として進路指導を行い、それぞれの生徒の成績に合った高校を勧めてきました。「どこへ行きたいのか？ 将来どんな職業に就きたいのか？ 自分のことも自分で決められなくてどうするんだ！」と、よく学級活動の時間に一方的に話していました。当時の生徒たちは授業が面白くないから学校に来ない、目的がないから学校がつまらない。決められたことを決められた通りにやるのを嫌がり、教師に反抗する。そのエネルギーがあり余っていたように思います。力で生徒をねじ伏せようとする生活指導や、あり余るエネルギーは部活動で発散させればいいという考えで学校教育が行われていました。だからこそ、通常の授業やそのほかの学校教育でのキャリア教育の必要性を強く感じ始めた時代です。

b. 副校長時代

年度途中の9月に副校長として着任しました。着任当日、20名以上の3年生が昼近くに登校し、「どうしてこんな時間に来るんだ！」と声をかけると「飯食いに来たんだよ！ お前誰だ！」というのがスタートでした。授業中の彼らの態度も決して褒められるものではありませんでした。

前述の通り、私は技術科の教員でした。技術の授業のことはわかってもほかの教科のことは詳しく知りません。ですが管理職は、教員の授業の指導も職責です。まずいろいろな学年、教科の授業の観察を行った結果、生徒を引き付ける授業は、やはり面白い授業であり、わかりやすい授業であり、生徒が動いている授業でした。どんな不良でもそのような授業では、集中していたのです。今考えると当たり前のことなのですが、自分の教科の授業だけに注目していた教員時代の感覚では、この当たり前のことにさえ気づきづらいのです。「生徒の将来のためにもキャリア教育が大切。そのカギは授業だ」。教師の授業が変わらなければこの生徒たちはかわいそうだと思い、何か手立てはないものかと常々考えていました。

そんなときに、近隣の学校で外部講師による授業改善の研修会があることを知り、見学に行きました。とにかく外部の方々の話が新鮮で、当時考えている課題を解決してくれる可能性があると感じました。今考えれば、その新鮮さが心地よかっただけかもしれませんが。

そこで、「この人たちなら、うちの学校の先生方の授業を変えることができるかもしれない」と思い、すぐに依頼し本校でも研修会を開きました。しかし、私と同じようにワクワクして授業改善に臨んでくれるかなと、淡い期待を持っていたのですが、ものの見事に打ち破られる結果に。たった一度の研修会では、まったく反応がありませんでした。教師は自分の授業スタイルを持ち、それを変えることを恐れているのではないか？ と思えるほどでした。「さあどうする。問題は凝り固まった授業スタイル。経験が邪魔をしている。ならばまだ経験が浅い教師なら変化するのでは」と。

そこで、若手の教師をピンポイントで指名して講師の方に授業改善をお願いしました。本校だけではもったいないと思い、区内近隣の若手教師にも声をかけ、授業改善ナイトセミナーも実施しました。当時は外部講師にそんなことを頼んでいる学校はあまりなかったようで、区教委には「先生方の指導は管理職の仕事だろう！」と強く言われました。その通りですが、教科も違う、まして、私の専門は技術科です。「実技教科だからわからない」と、そのときは思っていました。

授業改善の結果は短期的には、ほぼ全員改善しましたが、3カ月後には本人の意識によって、変わり続けた先生と、元に戻った先生とにわかれていきました。このことが教員の意識特性／行動特性（本書におけるコンピテンシーの要素）がとても重要であると気づいた経験でした。またその外部講師の指導を私も一緒に聞きながら改めて気が付いたのですが、授業は内容も大切だが教え方（伝え方）のほうがはるかに大切なのだということを。

それ以降、私自身がどんどん進化していったように思います。

c. 小学校校長時代

中学校の教員・副校長を務め、中学校入学の時点で斜に構えている生徒がいるのは「小学校に問題がある」との考えで、小学校の校長になることを希望しました。

確かにいろいろな問題はあったのですが、多くが「小学校の問題ではなかった」ことを、先にお伝えしておきます。

さて、私が赴任した小学校のなかで一番"欠けている"と感じたことが「先を見据えての指導」だったので、教職員に「キャリア教育」を提唱しました。

先生方ほとんどの反応が、「具体的に何をやったらいいのかわかりません」だったことが、初めの意識のズレでした。この意識のズレを改善することが、私の小学校校長としての最初の仕事です。中学校よりも担任が児童たちと授業で接する時間が長いだけに、「キャリア教育の理解と納得」は授業改善にも大きく影響を及ぼします。そこで特色ある活動の予算を使用し、外部機関と協働して「小学校で行うキャリア教育」と若手教員育成の授業改善指導を行いました。意識改革と共有が目的です。

しかし授業観察すると、教科書を一生懸命教えていました。やはり先へのつながりはまだまだ見えません。若い教員が増えてきたので全科の授業準備は本当に大変で、担任がほぼ1日6時間の授業を行っていました。その準備には良い授業を行おうとすればするほど時間がかかってしまいます。負担が大きいのです。数カ月経っても、授業の目的が見えない。なんのために、どんな力を付けようとしているのかが見えてこない。ただ、日々の授業を教科書に沿って教えているだけのように感じていました。この期間は我慢の日々でした。しばらくすると、意識の変わる先生が出てき始めました。

とある教師の例ですが、国語の題材で物語文が終わったところで、同じ作者の教科書とは違う物語文からのテストを自作して児童にやらせた先生がいたのです。結果が良くないことから、自分の授業に問題があることに気づいてくれたようです。そこから見事に授業が変わっていってくれました。一つの物語文から何を児童に理解させ、先につなげるのかが明確になっていき、「教科書を教える」から「教科書を使って、子どもに力を身につけさせる」。意識改革ができた大きな収穫でした。もちろん授業以外の運動会や学芸会、宿泊行事にも大きく意識改革を起こしましたが、今回は割愛します。

私が常に教師たちに話してきたことは、「小学校卒業だけを目標にしないで、その先の中学校、その先どんな大人にしたいのかを考えた教育をして欲しい」ということです。意識の変わった先生たちは、授業や学校行事のすべての取り組みを変化させていきました。

ある日、1年生の担任の先生に用事があり、給食中に教室に行きました。担任と話していると、目の前で箸を落とした子どもがいたのです。 先生はその子に「どうする?」と問いかけると、子どもの瞳が左右に動き考えていることがよくわかりました。児童は「先生、洗ってきてもいいですか?」と答え、先生が「いいよ」と言うと、すぐに箸を洗いに行きました。私は担任に「すごいね」と言うと、「校長先生がいつも言っていることじゃないですか」と返ってきました。教員の意識を変えることができた一つの例だと思っています。

私がいた区では、学力調査を毎年行っていました。当時勤めていた学校は、私が着任した年の結果は決して良いとは言えなかったのですが、2年目、3年目と、次第に成果が現れていきました。それもキャリア教育の結果であれば嬉しいのですが、そんな簡単に結果が出るわけはないのです。しかし、校長の私のために順位を上げたいと思ってくれた教師たちがいたことも確かです。もちろん、区の調査の本来の目的とは異なることですが、教師をやる気にさせることは大切なことだと思います。

d. 小中一貫校校長時代

私が考え続けてきたキャリア教育を実践すれば、小1から中3までの9年間で育てたい児童生徒像の実現ができると考えていました。小学生からは憧れの中学生が見え、中学生は小学生の手本となることを常に意識していました。通常の小学校のように6年生が最高学年ではなく、中学生になって成長した9年生が最高学年なのです。その違いは本当に大きく、学習面でも行事面でもその関係は揺るがないのです。

例えば、運動会や文化祭の実行委員の生徒がすべてを仕切るその姿を見て、「あんな9年生に自分もなりたい」と小学生の児童が思うのです。また、放課後の補充教室では、中学生に小学生を教えに行かせました。普段の授業では学習の遅れがある中学生でも、必死になって教えている。そして、「わかった」と言ってくれた児童を見て喜んでいるのです。中学生と小学生のこのような交流を通して、互いに成長することが、小中一貫校の良さだと思っていました。その姿には、微笑ましさを通り越して、頼もしさを感じていました。これらの取り組みにより、確実に児童生徒の成長が図られたと思っています。学校だより、保護者会、新入生説明会で、常に私が話してきたことは、「児童生徒に自立をどう促すか? どうすればパラサイトシングル、自立できない大人にしないか」ということでした。そのためには、学校や家庭・地域で、大人が子どもを信頼し主体的に行動させること。それにつきると考えていると伝え続けました。

どのように伝えたかの具体例は、❷**授業を通してのキャリア教育の必要性**について、で記述しています。改めて読み返して頂けると幸いです。

❸ まとめ〜私にとってのキャリア教育

キャリア教育については、さまざまな書籍が出ていますし、さまざまな研究をしている方がいます。

文部科学省が出している「中学校キャリア教育の手引き」にある「社会的自立・職業的自立、基礎的・汎用的能力」という言葉があります。これらの言葉は子どもたちにとってはわかりにくい言葉です。私はこれをわかりやすい言葉に置き換え、これからの時代の変化や日本の人口の減少に対応できる人を育てるためには何が必要なのかを常日頃から伝えてきました。

学校教育の大きな目的は、子どもを主体的にさせることだと思っています。その手段の一つがキャリア教育だと考えます。しかし、それがなかなか難しいのです。子どもを主体的にするために、教師が何も口出しをしなくて良いわけではありません。

6年生のレクレーションを例にして考えてみます。

レク係に指導することを考えた場合、例えば、条件として決められた時間があります。場所の広さがあります。内容を考えることが必要です。必要な用具をどうするのか。そんな条件を出しながら、どのように進めるのかを考えさせなくてはいけません。子どもは安易な考えを必ず出してきます。そこで、教師が「そんなのは無理」と否定するのではなく、そのときの状況を提示することが大切です。「そのときの全体の並び方はどうする?」「メンバーの役割は決めたかな?」「説明がわからないと混乱するよ。どのように説明すればわかりやすくなるかな?」「ただルールの紙を読んでいるだけで全体に伝わるかな? 伝わるための方法を考えてごらん」「それを決めるための時間は45分のうち、何分くらい必要?」などのアドバイスや発問を行います。

要するに、頭のなかでその状況をイメージさせ、シミュレーションさせることができるかどうかなのです。子どもにそれをさせるためにはまず、教師自身による相当なシミュレーションが必要です。それは最低限の経験が必要なのかもしれません。子どもを主体的にさせるためにはまず、教師が主体的にならなければならないと考えています。

私が中学教員時代によく生徒へ言ってきた言葉は「先生が当日本番のときに口を挟んだら君たちの負けだぞ! 全員が理解できていないと感じたら、先生が主導権を握って動かすぞ!」でした。それは、レク係に対する叱咤であり、本気にさせるポイントだと思っています。実際に口を出したことは一度もありません。実際にレクが終わった後「どうだった?」と聞いたとき、泣きながら「うまくいきませんでした!」という生徒が数多くいるのです。私は「その反省が次に生きるんだ」と励まし、そんな経験をした生徒は次の機会には必ず中心的存在として運営をしていました。そして、大人になりおそらく「段取り力」がついたと確信しています。これも大きな「キャリア教育」だと思っています。

2-3 主体的について

❶「主体的」の捉え方

本書では、頻繁に「主体的」という言葉が使われています。「主体的」という言葉については、その定義づけや言葉の持つイメージが人によって異なります。しかし、いくら「人によって受け取り方が違う」ということを理解していても、実際に話を進めていくなかで「ほかの人たちも自分と同じ言葉のイメージを持っているはずだ」、あるいは「話せばわかってくれるだろう」と思い込み、いつの間にかズレが生じてしまうということはよくあります。

そのため、「主体的」という言葉についてどのように定義づけし、目に見えない「主体的」の実態をどのように可視化して捉えているのかなど、前もって他者に説明しておく必要があります。

❷「主体的」の定義とは

「主体的」という言葉については、一般的に以下のように定義づけされています。

『広辞苑』（第6版）では、

> **① ある活動や思考などをなすとき、その主体となって働きかけるさま、他のものによって導かれるのではなく、自己の純粋な立場において行うさま。**
>
> **② 主観的に同じ。**

「goo国語辞書」ほかオンライン辞典では、

> **自分の意志・判断に基づいて行動するさま。**
>
> **「他に強制されることなく、自分の意志・判断に基づいて行動するさま」や「自分自身で考えて能動的・積極的に行動すること」**

「主体的」のおおよその意味は、「他者に左右されることなく、自分の考えや判断で行動すること」と捉えることができます。

また、学習指導要領には「主体的・対話的で深い学び」に代表されるように、「主体的」という言葉が頻出します。しかし、「主体的」の意味する具体的な行動がどのようなものかについては明記されておらず、前後の文脈から読み取るしかないのが現状です。

以下、学習指導要領より抜粋

【主体的な学びの視点】では

学ぶことに興味や関心を持ち、自己のキャリア形成の方向性と関連付けながら、見通しを持って粘り強く取り組み、自己の学習活動を振り返って次につなげる「主体的な学び」の実現。

【道徳教育を進めるに当たっての留意事項】では

未来を拓く主体性のある人間とは，常に前向きな姿勢で未来に夢や希望をもち，自主的に考え，自律的に判断し，決断したことは積極的かつ誠実に実行し，その結果について責任を持つことができる人間である。

【主体的・対話的で深い学びの実現に向けた授業改善】では

児童生徒が各教科等の特質に応じた見方・考え方を働かせながら，知識を相互に関連付けてより深く理解したり，情報を精査して考えを形成したり，問題を見いだして解決策を考えたり，思いや考えを基に創造したりすることに向かう過程

文部科学省の考える「主体的」とは、「他者に左右されることなく、自分の考えや判断で行動すること」であることは間違いありませんが、そこにはいろいろな要素が加味されています。

❸ 本書における「主体的」とは

RTF教育ラボでは、「主体的」という言葉を次のように捉えています。
「主体的」をよりわかりやすくするために、同じように使われる言葉である「自主的」と比較し、その行動の違いを考えることで「主体的」の理解を深めています。

例1） 部活動という身近な場面からは、自主的というイメージを持つ行動として、「自主練」が浮かび上がります。決められた練習時間以外に、進んで練習を行うときに使われています。これとは逆に「主体的」というイメージにつながる行動は、「主体練」という言葉がないように、なかなか見つかりません。強いて言えば､大谷翔平選手の目標達成シート（マンダラチャート：オープンウインドウ64）を基にした行動は、主体的であるといえます。
この目標達成シートとは、マスの中央に自分の目指すべき「目標・目的」を設定し、その周りに目標達成するために必要な8個の要素を考え、更に各要素を達成するために、必要な項目を8個考え、64の項目を一つひとつクリアすることを目指して練習に取り組み、自分の設定した目標を達成するというものです。

	要素 1			要素 2			要素 3	
			要素 1	要素 2	要素 3			
	要素 4		要素 4	**目標**	要素 5		要素 5	
			要素 6	要素 7	要素 8			
	要素 6			要素 7			要素 8	

例 2) 児童生徒の学校生活における掃除当番を例に行動の違いを想定してみると、

自主的な行動

- 掃除をする時間になったら遊びをやめて、すぐに掃除を始める。
- 決められた分担箇所を決められた用具で掃除する。
- 担当箇所が終わり時間が余っている場合は、同じ分担区域のほかの人を手伝う
- 終了時間になったら掃除を終える。

主体的な行動

- 掃除の分担区域を見回し、汚れの状況を把握する。
- 特に汚れている箇所があれば、その箇所に人数を回すことを班員に提言し、共有する。
- 用具も目的に合わせて選択する。
- 班員の了解を得て、人数を調整して掃除を始める。
- 担当区域の終了状態を班員でチェックし、大丈夫なら終了時間前であっても清掃を終える。
- ほかの班の清掃状況を観察し、状況によっては学級担任に自分の班の余剰人員を時間のかかる清掃区域に配分するよう提言する。

以上のような事例を基に「主体的」と「自主的」の具体的な行動の違いについて整理すると、

【自主的に行動するとは】
何をすべきかやるべきことは決まっていて、それを自ら行動すること。

【主体的に行動するとは】
目的を念頭に置いて状況を判断し、自らの責任でもっとも効果的な行動をすること。

❹ 主体的な行動をとるために必要な意識とは

児童生徒がいろいろな活動の場面で主体的に行動をとるために、身につけて欲しい意識や考え方があります。最初から主体的な行動がとれるわけではありません。日々の生活体験や学習活動を通して、これらの意識や考え方を少しずつ育み、成功や失敗の経験を繰り返しながら、主体的に物事に取り組めることのできる児童生徒の育成に努める必要があります。

本書では、主体的な行動につながる基本的な意識や考え方を、次の5点で考えています。

① 目的意識

さまざまな場面で、常に何が目的で今の行動を行っているのかを振り返る必要があります。例えば、掃除当番の目的は教室内の美化や整理整頓をすることで、気持ちの良い学級の生活環境や学習環境を維持することにあります。掃除の時間だからといって、決められた時間内にただほうきを使っていれば良いというわけではありません。本来の目的を意識した行動につなげたいものです。

② 自由と責任への意識

主体的な行動をとるには、他者に左右されることなく自分で考え、判断し、行動するということは大事なことです。しかし、それには社会性やメタ認知などの成熟が必要で、自分の判断や行動の妥当性について考えがおよばなかったり、そこに至っていなかったりすると、わがままで独りよがりな行動に陥ってしまいます。自分の意思と判断の範囲を常に意識しておく必要があります。

③ 当事者意識

ここでいう当事者意識とは、物事にかかわるときの本人の意識の持ち方を指します。自分が同じような状況に置かれたら、どのように考え、どのように行動するかを常に意識する。自分が直接かかわることのない事柄であっても、自分がかかわっている事柄に当てはめ、問題点や解決策を一緒に模索するなど、物事をみる視点を常に上位レベルの視野におくことが大切です。

④ 協働意識

今後、物事を進める上で他者と協働しながら進める機会は、今まで以上に多くなっていくことが予想されます。人は、それぞれ意見や考え方が違って当たり前で、そのような前提のなかで一人ひとりの意見や考えを共有し、考えを一つにまとめ、同意を得る作業は、早い時期から経験を重ねる必要があります。そのような積み重ねを通して、協働して課題解決に取り組むことの有用性や目的を効果的に達成するための必要性について実感して欲しいと思います。

⑤ 時間意識

一般的には、時間を守ることを指すことが多いと思われます。学校現場では、5分前行動という取り組みが多くの学校で行われています。しかし、ここでいう時間意識は、限られた時間を最大限有効に使おうとする意識です。同じ時間を過ごすのであれば、効果が2倍にも、3倍にもなるような工夫や気持ちの持ちようを意識しようということです。

いずれも将来、社会人として自立した生活を営む上で必要な意識であり、高校を卒業するまでには、子どもたちに身につけて欲しい意識であると考えています。

最後に、本書における「主体的」に近い内容が示されている文章を紹介します。「幼稚園、小学校、中学校、高等学校及び特別支援学校の学習指導要領等の改善及び必要な方策等について（答申）」の第2章「2030年の社会と子供たちの未来〜予測困難な時代に、一人一人が未来の創り手となる〜」からの抜粋です。

「人工知能がいかに進化しようとも、それが行っているのは与えられた目的の中での処理である。一方で人間は、感性を豊かに働かせながら、どのような未来を創っていくのか、どのように社会や人生をよりよいものにしていくのかという目的を自ら考え出すことができる。多様な文脈が複雑に入り交じった環境のなかでも、**場面や状況を理解して自ら目的を設定し**、その**目的に応じて必要な情報を見いだし、情報を基に深く理解して自分の考えをまとめたり、相手にふさわしい表現を工夫したり**、答えのない課題に対して、**多様な他者と協働しながら目的に応じた納得解を見いだしたりすることができる**という強みを持っている。」

（平成28年12月21日中央教育審議会答申より）

KEYWORD

授業の観点を整理する前に

第3章で整理する「授業の観点」をお読みいただく前に、「目的」「目標」「ねらい」「めあて」という4つのキーワードについて、本書におけるイメージを共有したいと思います。

このキーワードを大局的に定義すると、

「目的」は、目指すべき最終的なゴール
「目標」は、目的を達成するための具体的な手立て
「ねらい」は、教師の立場で表現した授業の目的
「めあて」は、児童生徒の立場で表現する学習すべき内容

となります。

※「目的」「目標」については、特に区別せず、同じ意味で使われる場合も多い。

例）教育基本法 第1条 教育の目的

教育の目的は、

A：人格の完成をめざし
B：平和的な国家及び社会の形成者として、心身ともに健康な国民の育成を期すること。

そのために、

1 真理と正義を愛し、
2 個人の価値を尊び、
3 勤労と責任を重んじ、
4 自主的精神に充ちた国民を育成すること

が目標となる。

以上を念頭に置きながら、次項から整理していきましょう。

3

授業の観点

Perspectives on classes

3 - 1	事前準備 1（年度当初）

	キー・コンピテンシー	定義	A
T	授業に対する課題意識	学習指導要領や学校独自の教育課題について理解を深め、授業に対して明確な課題意識を持ち、取り組むべき具体的な行動目標を設定している	求められている教育課題について整理されており、授業において、自分が取り組むべき課題も明確になっている
T	児童生徒を育成する課題意識	学校が育てたい児童生徒像と自分の理想とする児童生徒像が融合され、目的意識を明確に持ち、児童生徒に伝えたい想いを焦点化して取り組むべき具体的な行動目標を設定している	学校が育てたい児童生徒像と自分の目指すべき児童生徒像が整理され、自分が取り組むべき課題も明確になっている

❶ 授業に対する課題意識

授業は、教科指導と生徒（児童）指導の両輪があって成立します。どちらか一方が欠けていては、児童生徒が充実した学習の時間を過ごすことは難しいでしょう。年度の初めに、教科指導・生徒（児童）指導の取り組むべき課題がたくさんあるなかで、今年度どこに重点を置いて取り組むかをあらかじめ整理しておくことは大切なことです。

特に、教科指導においては2020年度から実施の新学習指導要領で述べられている「主体的・対話的で深い学び」、アクティブラーニング型の授業の実践が大きな課題として挙げられています。また、学校として取り組まなければならない課題や個々人が抱えている課題もあります。

こうしたさまざまな課題を抱えるなかで、今年度、特に重点的に取り組むべき課題について整理し、取り組むべき行動目標として、指導計画や授業実践に落とし込んでいくことが大切です。明確な課題意識を持って授業に臨むことで、これからの授業にも、自ずと変化が現れてくるはずです。

〈 ポイント 〉

① 課題意識を持つことで授業が変わる
② 授業に対する課題意識の出発点は、授業時間の児童生徒の姿を思い浮かべること
③ 教師も児童生徒とともに常に学び続ける姿勢が大事

❶ 授業に対する課題意識　❷ 児童生徒を育成する課題意識

B	C	D	E
	求められている教育課題や自分が目指したい授業の認識はあるが、本年度取り組むべき課題が明確になっていない		求められている教育課題の認識がなく、授業における取り組むべき課題も明確になっていない
	学校が育てたい児童生徒像と自分の目指すべき児童生徒像は定まっているが、整合性がとれていない		自分の目指すべき児童生徒像が定まらず、課題も明確になっていない

❷ 児童生徒を育成する課題意識

昨今、教科指導には一生懸命取り組んでいるものの、生徒（児童）指導に関しては、教科指導と同じくらいの育成意識を持って、積極的に関わろうとする教師が少なくなっているように感じられます。教育の目的は本来、「人格の完成を目指し、平和で民主的な国家及び社会の形成者として必要な資質を備えた心身ともに健康な国民の育成を期して行われなければならない。」（教育基本法 第一条）と規定されています。つまり、教科指導と生徒（児童）指導の充実が、教員に課せられた使命であるといえます。特に、児童生徒の育成は学級担任だけが負うのではなく、全教職員が育成に関わることが大切です。学校生活の8割以上を占めている教科の時間こそ、教科指導はもとより、生徒（児童）指導の貴重な時間であるといえるのです。

だからこそ、児童生徒を育成する上で、教員一人ひとりが教科指導の改善と同等の課題意識を持って、児童生徒に関わることが大切です。常に、どういう子に育って欲しいのか、という思いを念頭に置きながら、児童生徒に接していく必要があります。ただし、教員それぞれ、育てたい児童生徒像が異なることもあるでしょう。そのため、地域や学校、学年の実情を踏まえ、目指すべき共通の児童生徒像は整理しておくことも重要です。

教員一人ひとりの手段・手法に違いがあっても、学校全体で取り組むべき課題を共有することで、同じ目標、目指すべき児童生徒像の実現に向かって、協働して取り組める環境をつくっていきたいものです。

	キー・コンピテンシー	定 義	A
T	年間の指導計画（シラバス）	標準授業時間を基に、地域や学校の状況や児童生徒の実態に即して、各単元の配置や指導時数を工夫し、適切な指導計画（シラバス）を策定している	学校の授業時数や行事等を考慮し、児童生徒の実態に即した指導計画（シラバス）になっている
S	授業のルール	（年度初め）児童生徒が授業ルールの目的や必要性についてしっかり理解した上で、自ら進んでルールを尊重し、行動することができる	授業ルールについて、児童生徒がしっかり目的を理解し、当たり前のルールとして守られている

❸ 年間指導計画（シラバス）

自分が担当する学年・学級の授業を滞りなく行うためには、それなりの準備が必要です。行き当たりばったりで進めていたために、配当された時間内に収まらず、年度末になって時間が不足した結果、授業のスピードを上げて、無理やり間に合わせるような場面をよく見かけます。そのようなことを避けるためには、計画的な取り組みが必要です。

また、逆に時間内に収めることに気を向けすぎると、児童生徒がおいてけぼりを食うことにもなります。子どもたちの苦手な部分はじっくり時間をかけたり、理解の進んでいるところでは簡潔に済ませたりするなど、授業に軽重を付ける必要があります。

このように年間指導計画は、標準の配当時間数を基本にして、児童生徒の実態に即した軽重を踏まえた指導計画にする必要があります。

※本書におけるシラバスは年間指導計画を基につくられた児童生徒／保護者／地域の方々向けの学習計画資料と定義する

〈 年間指導計画の作成ポイント 〉

① 学習指導要領等を基に、教科・学年・単元の目標を確認する
学習指導要領は困ったとき・疑問に思ったときなどの解決の手引き書です

② 異校種も含めて、どのような単元のつながりになっているかを理解する
小学校から高校まで、学習の系統性を確かめましょう

③ 年間授業時数の確認を行う
学校行事や学年行事を考慮した計画にしましょう

④ 児童生徒の実態に応じて、重要単元の配当時数を調整する

B	C	D	E
	指導計画（シラバス）を作成しているが、児童生徒の実態に合っていない		指導計画（シラバス）の準備がなされていない
	授業ルールについて、児童生徒が理解し、進んでルールを守ろうとしている姿が見られる		授業ルールについて、理解が十分でなく、ルールより自分の欲求を優先している

❹ 授業ルールの設定

自身が目指す授業の姿をイメージし、その実現のために必要なルールをつくり出すことが大切です。ただし、教師が一方的にルールを押しつけるのではなく、児童生徒がそのルールの目的をしっかり理解する必要があります。共通の目的が生まれてはじめて、授業の秩序が保たれ、児童生徒が安心・安全な雰囲気のなかで、のびのびと学習できる環境を維持することができるのです。

そして、最終的なゴールは、「ルールを守らなければならない」と意識することなく、そのルールが守られている状態を「当たり前の姿」として受け止められた環境をつくり出すことです。児童生徒がつくったルールも含めて、「ルールをいちいち確認する必要のない」授業づくりに努めましょう。

〈 授業ルールの設定のポイント 〉

① ルールづくりの最終形はルールがなくなること

当たり前の行動として定着したルールは、ルールとして意識されなくなります

② 教師がルールを設定する段階と児童生徒が設定する段階の移行のタイミングが重要で、小４あたりから徐々に移行していくことが理想

③ あるべき授業の姿を視覚化し、共有する

例えば、机の並べ方や教具の置き方などあるべき姿を学級全員で共有し、画像として残しておくと、乱れが生じはじめたときに、直すべき課題が明確になります

事前準備 2（単元ごと）

	キー・コンピテンシー	定 義	A
T	単元指導計画	学習のねらいや目的達成のために、児童生徒の実態を踏まえ、計画的な単元の組み立てを行うことで、児童生徒の学習意欲を引き出し、効果的な学習活動を展開することができる	学習のねらいや目的を明確にし、児童生徒の実態に即した単元指導計画である
T	学習内容の理解	学習のねらいや目標のポイントがしっかり把握され授業に活かされている。児童生徒にとって理解しづらいところや苦手としているところを把握している	学習のねらいやポイントが整理され、児童生徒の得手・不得手を理解した上で、授業を展開している

❶ 単元指導計画

一時間一時間の授業を有効に活用するためには、単元指導計画が大切です。単元全体を一つのまとまりと考え、導入、展開、まとめといった視点で学習内容をと捉えて、必要に応じて学習する内容を入れ替えたり、時間を増減したりするなど、児童生徒の実態に即した計画を立てることが大切です。

ややもすると標準の配当時数をそのまま利用して計画しがちですが、これまでの学習の定着状況を踏まえ、既習事項の確認の時間を確保したり、これからの学習に影響するような重要な箇所では、ゆっくり丁寧に進めたりするなど、確実な定着を図る工夫が必要です。

単元指導計画の主な構成要素には、(1)単元名、(2)単元設定の理由（児童生徒の実態、育てたい資質・能力・態度、教材についてなど）、(3)単元目標（どのような学習を通して、どのような内容を学ばせ、どのような力を身につけさせるのかなど）、(4)単元の評価規準、(5)指導計画（時間数、活動内容、指導のポイント、関連する教科等）があります。

〈 単元指導計画の作成のポイント 〉

① 児童生徒の実態にあった計画になっているか
② 単元の目標が十分に達成できる計画になっているか
③ 児童生徒の主体的な活動を引き出す工夫を取り入れているか
④ 学力テストや定期テストなどの結果の分析が計画に反映されているか

❶ 単元指導計画　❷ 学習内容の理解

B	C	D	E
	指導書のほぼそのままの単元指導計画である		単元指導計画の準備がなされていない
	学習の流れに沿った授業展開をしているが、児童生徒の理解につながっていない		学習のポイントが不明確で十分な理解がなされないまま授業が展開されている

❷ 学習内容の理解

単元指導計画や一時間一時間における学習指導案の作成において、学習内容の理解は不可欠になります。時折、教科書の学習内容について、均等に時間を割り振った計画を立てたり、すでに学習している内容を丁寧に説明したりする場面をよく見かけます。既習事項として、どの学年で、どの程度の学習をしてきたのか把握しておくことが大切です。

また、上級学年でもう一度しっかり学習する機会があるのであれば、現時点での学習のポイントをどこに置くのかを考える必要があります。同様に、上級学年で学習のつまずきになるであろうと思われる基本的な事項においては、しっかり時間をかけて定着させる必要があります。

それぞれの単元において、児童生徒の苦手とする箇所や理解しづらい点などを把握しておくことも必要です。

〈 学習内容の理解のポイント 〉

① 単元の目標やねらいを把握しているか
② 学習する単元の系統性を理解しているか
③ つまずきやすいと思われる点を把握しているか
④ 児童生徒の興味関心を引き出せる学習課題を準備しているか
⑤ 児童生徒の主体的な学習を引き出すための学習形態を想定しているか

事前準備 3（毎時間ごと）

	キー・コンピテンシー	定義	A
T	学習指導案	学習のねらいや目的達成のために、児童生徒の実態を踏まえ、効果的な授業の組み立てを考えることで、児童生徒の意欲的で主体的な活動を引き出すことができる計画になっている	学習のねらいを達成するために、児童生徒の意欲的で主体的な活動を引き出すことができる計画になっている
T	教材・教具の準備	（授業前）児童生徒の主体的な活動を引き出すために学習内容にあった教材・教具（ICT機器を含む）を準備している	児童生徒の実態にあった教材・教具を準備し、児童生徒の主体的な活動を引き出そうとしている

❶ 学習指導案

学習指導案は、授業の設計図です。与えられた時間に児童生徒に身につけてほしい学習内容をどのような手順、方法で、授業を組み立てるのかを示したものです。一般的には、（1）単元名、（2）単元の目標、（3）単元の評価規準、（4）単元の指導について（指導観、児童生徒観、教材観）、（5）単元指導計画と評価計画、（6）本時案、（7）板書計画のように構成されます。

普段使われる指導案は、本時案（略案）として次のような項目で構成します。（1）単元名 （2）本時のねらい （3）指導の工夫 （4）展開 （5）板書計画。特に、（4）の本時の展開では、児童生徒の学習活動の流れに沿って、導入・展開・まとめの順に記述しますが、展開の書き方には、主に「学習内容・学習活動」と「指導上の留意点」及び「評価」として記述する方法と、前後を逆にした「指導事項及び指導上の留意点」と「学習活動」及び「評価」として記述する方法があります。いずれにしても教師の働きかけ（発問、指示、説明）、児童生徒の活動（予想される児童生徒の反応、考えられる解決の方法）の2つの視点で、構成することが一般的でしょう。

〈 学習指導案作成のポイント 〉

①「めあて」や「ねらい」のゴールが「まとめ」になっているか
② 教師の発問や予想される児童生徒の反応が想定されているか
③ 児童生徒の主体的な学習を引き出す工夫がなされているか

❶ 学習指導案　❷ 教材・教具（ICT機器）の準備

B	C	D	E
学習のねらいを達成するための創意工夫がなされており、児童生徒の実態にあった計画になっている	目的やねらいは理解されてはいるが、創意工夫の見られない計画になっている	目的やねらいの理解が不十分で、児童生徒の実態に合った計画になっていない	指導案の準備がなされず、そもそも計画がない
	授業開始前に教材・教具の準備はなされている		教材・教具が準備されていない

❷ 教材・教具（ICT機器）の準備

教材・教具の選択によって、学習理解度／学習定着度が左右される場面をよく見かけます。児童生徒の生活とかけ離れている課題では、児童生徒の学習意欲を引き出したり、興味・関心を持たせたりすることは難しい場合があります。

また、児童生徒の理解を進めたり、深めたりする手立てとして、教材・教具の役割は、非常に大きなウエイトを占めています。

〈教材・教具の準備のポイント〉

① 児童生徒の興味関心を引き出す教材・教具になっているか
② 単元のねらい・目標を実現するために、効果的な教材・教具になっているか
③ 児童生徒の考えを広げられる教材・教具になっているか
④ 学習した内容を効果的に共有できる教材・教具になっているか
⑤ ICT機器が使えなくなった場合（故障や急な教室変更など）の準備をしているか

	キー・コンピテンシー	定義	A
S	授業前着席と授業準備	授業準備の時間を有効に活用し、教室移動や必要な道具を揃えるなど主体的に授業を受ける準備を整えることができる	授業が開始する前に授業の準備を済ませ、予習復習を行うなど主体的に行動ができる
S	号令・開始のあいさつ	授業開始にあたって、号令・あいさつにより主体的に授業に向かう姿勢をつくることができる	主体的にあいさつをすることができる
T		号令・あいさつの意味や目的を児童生徒に理解させ、授業に向かう姿勢をつくることができる	主体的にあいさつをすることを見守っている

❶ 授業前着席と授業準備

スムーズな授業の開始を実現するためには、休み時間の過ごし方が大切です。用事やトイレなどを済ました後に、素早く授業に向かう姿勢をつくることを児童生徒全員が理解して取り組みたいものです。授業のチャイムが鳴るまでを休み時間と考え、友達と話したり、遊んだりしていて、チャイムが鳴ってから慌てて席に着くという場面をよく見かけます。学習に必要な道具が揃っていなかったり、休み時間のムードを切り替えられずに落ち着かない雰囲気のまま授業に入ったりすることが多く見られます。

学校によっては、授業開始の本鈴の前に予鈴や音楽をならす場合もあります。また、係の児童生徒が席に着いて授業の準備を促すように呼びかけるようにしている場合もあります。いずれにしても、授業の入りを大事にしている学校の意識の現れだと思います。

〈 授業準備のポイント 〉

① 休み時間は、次の授業の準備の時間

本鈴の前に着席して、次の時間の準備をすることが、学校として当たり前になるようにしましょう

② そのためには、児童生徒だけでなく教師集団の意思統一が大事

休み時間のうちに教室に入り、授業準備の声かけをして、定着を図りましょう

③ 落ち着いた休み時間の過ごし方が授業にも好影響

スムーズな授業の入りで、集中した授業時間を確保しましょう

B	C	D	E
授業が開始する前に授業の準備を済ませ、静かに着席して待つことができる	授業が開始する前に着席したが、授業の準備ができていない	授業の開始時間になってから着席し、授業の準備を始めている	授業の開始時間になっても着席せず、授業の準備もできていない
注意や指示がなくても、けじめのあるあいさつができる	注意や指示がなくても普通にあいさつができる	注意や指示があれば普通にあいさつができる	あいさつができない
あいさつをさらに良くするための言葉がけや関与を行っている	あいさつを更に良くするための言葉がけや関与を行っていない	あいさつができていないので必要な注意や指示を出している	あいさつができていないのに必要な注意や指示を出していない

❷ あいさつ・号令

授業前着席や授業準備と同様に、しっかりとした「号令」「あいさつ」も、スムーズな授業の入りを実現するための大切な機会といえます。休み時間と授業時間の気持ちの区切りは、けじめのある「号令」としっかりとした「あいさつ」によってつけられます。

往々にして、始業前・終了後のあいさつは毎日の繰り返しによって、起立・礼・着席の号令やあいさつにけじめがなくなり、一連の動作としておざなりになっている場面をよく見かけます。年度当初の新鮮な思いや授業を頑張ろうという気持ちは、徐々に薄れて来てしまうのはやむを得ないことかもしれません。ですから尚更、教師や児童生徒が毎日の授業を新鮮な気持ちで取り組めるよう「号令」「あいさつ」を大切にしたいものです。けじめのある号令一つで雰囲気は変わります。

〈 **あいさつ・号令のポイント** 〉

① 実は、あいさつに入る前の教師の表情が大切
教壇に立ったときの教師の表情で、児童生徒たちの授業への期待感が高まります。先生の明るい笑顔、目の輝き、一人ひとりに向けられる目線を大事にしましょう

② 号令係の役割は大きい
あいさつが停滞するとその雰囲気が授業にも影響します。号令係にも関与を

③ あいさつの前に、道具の確認を
あいさつ後の児童生徒の不要な動きはなくなります（忘れ物を取りに行くなど）

2. 導入

	キー・コンピテンシー	定 義	A
S	めあての提示	めあてを可視化することにより、児童生徒が本時の学習の流れを明確に持ち、目的意識を持って授業に臨むことができる	児童生徒が自分の言葉で表現するなど、目的意識を持って授業に臨むことができる
T	ねらいの実現	本時の学習のねらいや目標が明確で、目的達成の道筋が授業を通して伝わっている。そのねらいに則って、めあてがつくられ、児童生徒が主体的に活動している	本時のねらいや目標を達成するための学習内容、学習活動になっており、児童生徒が主体的に活動している
T	課題の設定・見通し	児童生徒の実態に合わせた身近な課題を設定することで、興味関心・意欲を引き出し、見通しを持たせた上で、課題解決に取り組ませている	本時のねらいや目標に迫る適切な課題を設定し、解決の見通しを持たせ取り組ませている

❸ めあて・ねらいの提示

授業のはじめに、本時の学習のめあて・ねらいを提示することで、児童生徒が今日はどんなことを学習するのかを理解し、目的意識を持って授業に取り組めるようにします。課題解決型の授業では、問題を提示した後に、この問題を解決するための手立てや活用できそうな既習事項を確認した上で、めあて・ねらいを設定します。また、学年によっては、めあてを児童生徒の言葉を使って表現することで、本時の解決すべき課題を児童生徒がしっかり理解した上で、主体的に学習に取り組めるようになります。

いずれにしても、本時の学習のゴールの姿を示していたり、身につけるべき課題（ミッション）を明確にしたりすることが、めあて・ねらいの役割といえます。

〈めあて・ねらいの提示のポイント〉

① この時間のゴールをイメージした、めあての設定を行う

児童生徒が、この1時間でどんなことができるようになれば良いかがわかる具体的なめあてにしましょう

②「めあて・ねらい」と「まとめ」の整合性を図る

B	C	D	E
	めあてを写しているが、本時の学習の内容の見通しがもてていない		めあてがなく、本時の学習の内容がわからないままに授業を受けている
本時のねらいや目標を達成するための学習内容、学習活動になっているが、一部の児童生徒しか主体的に活動していない	本時のねらいや目標を達成するための学習内容、学習活動になっているが、児童生徒が主体的に活動していない	ねらいや目標はあるが、児童生徒の実態とは関係なく授業を進めている	ねらいや目標が不明確
	適切な課題を設定しているが、見通しをもたせられていない	機械的な課題設定で、児童生徒の意欲を引き出すまでに至っていない	課題設定がなく、見通しをもたせられていない

❹ 課題の提示と見通しの確認

課題の設定については、児童生徒の実態に合っていることが大切です。

教科書の問題をそのまま活用して、課題とする場面をよく見かけます。教科や単元によっては児童生徒にとっては馴染みがなく、日常生活からかけ離れていて、その状況自体をイメージしにくい問題もあります。ですから児童生徒にとってわかりやすくて、興味関心のもてる問題、自然と「なぜだろう?」「決まりは何かな?」といった探究心を引き出せる課題を扱いたいものです。また、見通しについては、自力で解決できるように、既習事項から関連事項を探ったり、調べ学習を活用したりしましょう。さらに、解決の道筋を予測したり、解決に向かうヒントや道具をクラス全体で共有したりすることが大切です。「何をしたら良いのかわからない」という児童生徒に、見通しを持たせて取り組ませたいものです。

〈 課題の設定・見通しのポイント 〉

① 目標を達成するために、効果的な課題を設定する

教科書を学ぶのではなく、教科書を通して学ぶこと。教科書はあくまでツールにすぎません

② 児童生徒にとって見通しを考える時間は、解決の方法を学ぶ時間

	キー・コンピテンシー	定 義	A
S	自力解決の取り組み	学習課題に対して、既習事項を活用したり、自分の考えを新たに付け加えたりして、課題解決に向けて主体的に取り組むことができる	既習事項を活用したり、考えを工夫したりして、課題解決に向けて、主体的に取り組んでいる
T	机間指導（自力解決の時間）	机間指導の際には、児童生徒の課題の進捗状況の把握、紹介したい解答の把握、わからない子や質問のある子への対応など、優先すべき順序に配慮しながら常に全体に目を配り、適切な指示を出している	常に全体の把握に努め、必要に応じて適切な指示を出している

❺ 自力解決

児童生徒が、学習課題をまずは自分なりの考えや思いついた方法で解決しようと試みることが大切です。問題を読んですぐにわからないから、友だちや先生に解き方を教えてもらうという場面をよく見かけます。この児童生徒は、すぐに答えが思い浮かばない、予測がつかないということもありますが、それ以前に、どのような方法で取り組めば解決することができるのか、その手立てや方法が見つからないというケースも少なくないでしょう。児童生徒が一人ひとり自力思考・自力解決ができるようになることを最終の目標とするなら、最初は、どのような手順で考えを進めればよいかを全体で共有し、ある程度の方向性をもって解決に当たる必要があります。関連する既習事項は何か、今まで似たような問題があったか、その問題との相違点は何か、そのとき、どのように解決したか、などの解決の糸口となる発問を工夫することが大切です。

ところが、教師によっては、細かくアドバイスをしたり、ヒントを与えすぎたりして、答えまで導いてしまうケースが多く見られます。教えすぎは自力思考・自力解決ができるようになるというゴール到達の妨げになる場合もあります。

〈 自力解決のポイント 〉

① 問題解決への見通しを共有することで、解決の方法を身につける
② 児童生徒同士の相談をする場合は、時間を決めて自力解決の時間を確保する
③ 解決の糸口に繋がる教師のつぶやき、発問等を活用する

B	C	D	E
児童生徒はうまく考えをまとめているが、独自の工夫が不足している	児童生徒はなんとか解決しようとしているが、考えを上手くまとめることができない	児童生徒が自分で考えようとせず、すぐに友だちや先生に聞いている	多くの児童生徒が自力解決ができず、まったく手がつけられていない
常に全体の把握に努めて指示を出しているが、適切ではない	個別指導に気を取られ、全体の把握が不十分で、時間をもてあましている児童生徒がいることに気がつかない	目的がなく（目的を理解せず）、学級全体をただ回っている	必要な机間指導がない

❻ 机間指導（自力解決の時間）

児童生徒が自力解決に取り組んでいる間、教師は机間指導を行い子どもたちの支援を行います。ただし、その際、明確な目的を持たずに机間指導を行っている姿をよく見かけます。この場合の机間指導の目的や教師の行動には以下のようなことが挙げられます。

(1) 児童生徒一人ひとりの取り組み状況を把握し、クラス全体の進捗状況を判断する。あまりはかどっていない場合には、いったん手を止めさせ、全体にヒントを伝えたり、既習事項の確認をしたり、陥りやすい誤りなどを伝えたりするなど、児童生徒の自力解決をサポートする。

(2) 教師が全体に紹介したい解答をしている児童生徒を把握する。いろいろな考え方や取り組みの方法があれば、全体で共有し、比較検討を行う。

(3) 質問のある児童生徒や特に支援が必要な児童生徒に個別指導を行う。ただし、全体の把握を怠ってはならない。また、質問がある場合には、黙って挙手をするなどのルールづくりが必要。

〈 **机間指導**（自力解決の時間）**のポイント** 〉

① 個別指導は大切だが、かかりきりになると周りの状況が見えなくなる
② 常にクラス全体に目を向け、子どもたちの状況を把握して、適切な指示を出す
③ 早く終わった児童生徒のために、別な課題を用意しておく

(2) 協働（協同）的な学習

	キー・コンピテンシー	定 義	A
S	話し合い活動	児童生徒が話し合いのなかで、お互いの個性を認め合い、自分の考えを相手に伝えるとともに、相手の考えを理解するなかで、主体的に学びを深めていくことができる	話し合いが積極的に行われるなかで、自他の理解が進み、学びが深まる話し合いになっている
S	話し合い活動 （学び合い・教え合い）	個人での学習の終了後、グループで協力して問題解決に当たり、それぞれが考えた解決の方法を整理したり、一人ひとりのつまずきを協力して解決したりすることで学びを深めていくことができる	班員が協力して課題解決に取り組み、一人ひとりの理解を深めるとともに、確実な定着が図れる活動になっている
T	机間指導 （話し合い活動）	児童生徒の主体的な話し合い活動が円滑に進むよう関与はするが、全体を見通して必要最小限の支援を行うことができる	児童生徒の主体性を尊重して、班への関与を最小限に留めながら、子どもたちの主体的な活動を引き出している

❼ 話し合い活動

新学習指導要領のねらいの一つでもある「主体的・対話的で深い学び」の実現には、児童生徒の話し合い活動を中心とした協働的な学習の導入が不可欠です。この話し合い活動には、三つの大事なポイントがあります。一つは、班のなかで自分の考えを発表する活動です。自分の考えをしっかり整理してまとめ、相手にどうしたらわかりやすく伝えることができるかを工夫しながら表現する活動です。二つ目は、ほかの人の発表を聴き、自分の考えとの違いを比べる活動です。ほかの人が自分と同じ考えを持っていたら、その考えに自信を持てるでしょうし、逆に違う考えを持っているならば、新たな視点を得られ、幅広い理解につなげることができます。三つ目は、班員の互いの考えを精査・統合する活動です。同じ考えを一つにまとめたり、違う意見を比較検討して取捨選択しながら班の意見としてまとめたりすることは、話し合い活動の中心的な活動です。

また、このような話し合い活動のなかに、学び合い・教え合い活動の要素も加わることがあります。教師主導型の授業では、教師が教える側の役割を一手に引き受けますが、学び合い・教え合いの活動では、わかった児童生徒が行き詰まって手が止まっている児童生徒に、ヒントを示したり、行き

❼ 話し合い活動　机間指導（話し合い活動）

B	C	D	E
	話し合いが行われているが、質問も確認もなく、深まりの無い話し合いになっている	話し合いの目的がはっきりせず、ルールも不十分なため、話し合いの参加にかたよりがある	話し合い活動ができていない
	答えの出し方を伝えてはいるが、なぜそうなるのかなどの理由を理解するまでに至っていない	グループ内で解決しようとせず、教師に聞いて解決しようとする	つまずいている児童生徒がいるにもかかわらず、互いに関与しない状況になっている
	教師が児童生徒の解決を待てず、早期に関与することで、主体的な活動の妨げになっている	教師が班の活動に関与しすぎて、教師の指示やヒントを待つなど教師に頼りがちな活動になっている	話し合い活動ができていないのに、指示やヒントを出すなどの関与をしていない

詰まっている箇所の手助けをしたりすることで、児童生徒が自力で解決できるように協力し合う活動も多く見られます。教える側に立つ児童生徒にとっては、相手にどのように説明したらわかりやすくなるか考えたり、工夫をしたりすることで自分の考えをより明確にすることができます。教わる側の児童生徒は、遠慮や気兼ねなく自分が納得できるまで聞くことができるので、相互に理解を深めることができます。ただしこれには、グループ内の人間関係が不可欠です。

学び合い・教え合いを中心とした活動では、与えられた課題に対して、全員がクリアするというミッションを与える場合があります。この場合、つまずきのある児童生徒に正解までの道筋を説明することに終始して、正解にたどり着いたところでミッションがクリアされたと思ってしまう場面をよく見かけます。確かに課題の解決にたどり着いてはいますが、同じような課題が出た場合に、一人ひとりが自力で解決ができるまで、十分な理解が進んだとは言えません。このような場合には、第一に全員が課題をクリアすること、第二に類似問題などが自力で解決出来るようになること、までをミッションとして示すことで、一歩先の目標を設定して、児童生徒に意識させることも教師としての大切な役割といえます。

このような話し合い活動において、考慮すべき点は、児童生徒の発達段階に応じて、ねらいや目標の設定、問題・課題の提示の方法、グループの編成の仕方なども変えていく必要があります。小学生から高校生までのスパンで、協働学習の目指すべきゴールをイメージしながら、それぞれの学年におけるねらいや目標をあらためて設定し、今の学年でできることは何か、前の学年の活動を踏まえ上乗せすべき点は何か、など系統的・段階的に無理のないかたちで取り組みたいものです。

〈アクティブラーニング型(AL型)授業のポイント〉

① 基本の流れ

課題・目的の提示……話し合いのミッションの提示。初期段階では役割分担の指示も。

個人思考(演習1)……自力解決の時間は充分に時間を取る。

フィードバック1……個人思考の共有のために個人の取り組みをグループ内で順に発表する。

グループ思考(演習2)……個々の考えを整理・統合し、グループの意見としてまとめる。
※演習2:ゴールを実現するために必要な演習

フィードバック2……学級全体の共有のため、グループごとに出した結論を発表する。

集団思考……グループごとの意見をもとに学級全体で精査・統合する。

フィードバック3(定着確認)……発問や小テストなどで学習した内容の定着を確認する。

フィードフォワード……本時の学習のなかで気付いた課題について、今後どうすればよいかを考え、次回に活かせるようにする。

② AL型授業導入の問題点1(教師側)

- 準備や段取りの不足・授業構成(時間配分)のミス
- 経験不足
- ヘルプしすぎ(教えすぎ)
- 目的からズレたときに軌道修正がない
- カオスラーニングとの混同

※カオスラーニング:一見話し合い活動が活発に行われているように見えるが、ねらい・目的に沿った話し合いになっていない状態。

**今まで、
アクティブラーニング型の
授業を受けた経験の少ない人が
ほとんどで、
慣れていなくて当たり前!**

③ AL型授業導入の問題点2(児童生徒側)

目的の理解不足……話し合いの目的の理解不足のため、何を話してよいかわからない。

基礎知識の不足……話し合いを進めるために必要な基礎知識が欠けている。また、それらを調べる方法が身についていない。

話し合いに必要なスキルの不足‥ 自分の考えをまとめたり、相手にわかりやすく伝えたりすること、人の話をしっかり聞き取ったり、わからなければ質問したりすることなどの話し合い活動をするために必要な基本的な事項が身についていない。

規律・ルールの不足………………… 話し合い活動におけるルールの理解が不足している。

リレーション不足…………………… そもそも話し合いのできる人間関係がつくれていない。

甘え、依存……………………………… 集団になると手を抜いてしまう傾向がある。

④ 小学校低学年におけるAL型授業の配慮事項

ねらい・目標の設定………………… 知識技能の修得を中心に置く。

グループの編成……………………… まずは人数の少ないペアの活動からスタート。

リレーション………………………… 円滑に活動できるよう構成的エンカウンターを活用。

話し合いのルール…………………… ルールを教師が設定。自分の思いや考えを伝えると同時に、話をしっかり聞くことも低学年のうちに身につけさせたい。

話し合い活動………………………… 伝え合い活動（アウトプット）が中心。言葉では伝えられない児童には、絵を描いたり、体を使ったりして伝えても大丈夫など児童が参加できることを重視。

協働する作業………………………… 計算のブロックやおはじきなどの一つの教具を二人で扱う体験をさせる。注意点として、一人が独占したり、取り合ったりするなどのトラブルが起こるが、中学年以降で協働作業を進める上で必要なことなので、敢えて経験させておく必要がある。

❽ 机間指導（話し合い活動）

協働学習の机間指導の主な役割は、グループが主体的に活動に取り組んでいるか見守ることにあります。教師はどうしても正解まで導きたくなり、グループの活動に関与しすぎる傾向があります。必要最小限の関与で、軌道修正ができるようファシリテーターとしての役割に徹したいものです。また、全体の話し合いの方向がズレてしまっている様な場合には、全体を一旦止めて、あらためて話し合いの活動の目的（ミッション）を確認し、話し合いの方向を修正する必要があります。いずれにしても、グループの話し合いに余り口を出さずに、見守ることが大切です。

(3) その他の活動

	キー・コンピテンシー	定 義	A
T	調べ学習	調べ学習の課題を明確にし、情報の収集・整理・分析を行い、まとめた内容を発表・共有することで、ねらいや目標を達成し、新たな気付きや課題に繋げることができる	主体的に調べ学習に取り組む状況を整え、ねらいや目標が十分に達成できる活動になっている
T	ICTを活用した活動	電子黒板、タブレット、プロジェクターなどをツールとして捉え、ICTの特性を活かして、効果的・効率的に学習の目標やねらいを達成することができる。	ICTの特性を活用することで、学習のねらいや目標が実現できている
T	体験的な活動	直に物に触れたり、体験したりすることで、課題を身近に感じ、学習した内容をより深く理解させる活動になっている	意欲的に体験活動に取り組み、課題をより深く理解したり、新たな課題を見出したりする活動になっている

❾ 調べ学習

教科の時間や総合的な学習の時間、学校行事などで、調べ学習が多く取り入れられています。児童生徒が学習教材をより身近に感じられること、児童生徒の一人ひとりが主体的な活動に繋げられること、協働的な学習の体験の場になることなど、さまざまな利点があります。ただ、残念なことは、調べたものをそのまま模造紙に書き込んだり、発表原稿としてそのまま読んでしまったりするなど、せっかく調べた内容が深められずに終わってしまうことが多く見られます。調べることと同様に、調べた内容をどう伝えるかにも視点を合わせたいものです。

〈 調べ学習のポイント 〉

① テーマの設定を工夫する

単に「〜について調べよう」から「〜と〜の違いについて調べよう」など、テーマの設定のしかた一つで調べる内容が変わってきます

② 収集した情報の整理・分析をする

いろいろ集めた情報を取捨選択し、項目を工夫して整理する。そのなかで得られた新たな気付きや課題を大切にしましょう

③ 発表では、誰に向けて何を伝えるのかを意識させる

発表のしかたは対象者によって変わってきますが、自分たちの伝えたい内容は変わらないので、ここをしっかり意識させましょう

❾ 調べ学習	❿ ICT機器を活用した学習	⓫ 体験的な活動

B	C	D	E
調べた結果を共有できる活動になっているが、自分の言葉で考えたり表現したりするまでに至っていない	個人として調べ学習のねらいや目標は達成されているが全体での共有の場面がない	学習のねらいや目標が達成されず、機械的な作業に終始し共有の場面もない	調べ学習が必要な場面で、調べ学習をさせていない
	ICTの活用はされているが、学習のねらいや目標とマッチしていない		ICTを活用すれば、学習のねらいや目標がより一層実現できるような場面で活用されていない
	体験的な活動に意欲的に参加するが、考察や振り返りをさせていない	児童生徒が目標とかけ離れた活動をしているが、必要な指示がない	体験活動の必要な場面で、活動がない

❿ ICT機器を活用した学習

ICT機器の活用については、単元のねらいや目標の達成のために、授業の組み立てのなかでどの場面で、どのような活用を図れば、「より効果的・効率的な学習になる」かが一番のポイントです。あくまでもICT機器は方法・手段であり目的ではありません。一つのツールとして捉えることが大切です。ICT機器を効果的に活用する場面としては(1) **導入**で使い、児童生徒の興味関心を引き出す(2) **課題把握**で使い、問題の状況を理解・整理する(3) **課題解決**で使い、児童生徒の思考を支援する(4) **発表**で使い、いろいろな考えを比較検討する(5) **まとめ**で使う、などが挙げられます。

⓫ 体験的な活動

体験的な活動は、児童生徒の興味・関心や意欲を引き出すには最適な活動です。しかし、子どもたちは喜んで体験に取り組んでいるものの、それだけで終わってしまう場面をよく見かけます。体験的な活動を、日々の生活で学んだ、さまざまな知識や技能、いろいろな見方・考え方、問題発見と解決に向けての取り組みなどを総合的に活用し、実践する場として捉え、児童生徒の成長に繋げましょう。

4．まとめ

	キー・コンピテンシー	定 義	A
S	まとめ（整理する活動）	児童生徒が授業を振り返り、本時に学習した内容を整理し、要点を簡潔にまとめる作業を通して、学習の定着を図る。また、学級全体でまとめた内容を共有する機会にもなっている。	児童生徒が、本時に学習した内容を振り返り、学習のポイントを整理し、復習しやすい内容になっている
S	まとめ（評価する活動）	授業を通して、何ができるようになったか？ 何がまだできていないのか？ を振り返るとともに、自身の授業へ臨む姿勢などを振り返り、今後の学習へ活用すること	児童生徒が振り返った内容が、今後の授業や学習に活用できる振り返りになっている

⑫ まとめ（整理する活動）

授業の終盤では、本時に学習した内容を整理する必要があります。児童生徒にとって、1時間の授業で学ぶ内容には非常に多くの情報が含まれ、しかもそれらは雑多に記憶されます。そのため、そのまま放っておくと全体が不明瞭のまま薄れていってしまう恐れがあります。今日の授業で何を学んだか、大事な点は何だったのかなど、必要な情報とそうでない情報を取捨選択して、学習の流れをもう一度振り返り、整理しておくことが大切です。

そのためには、第一に、自分のノート等の見直しをします。記憶が新しいうちに、不明な点や欠けている箇所があれば補い、整理することで、本時の学習をもう一度振り返る機会にすることができます。第二に、学習した内容の要点を自分の言葉でまとめます。学習した内容を再構築することで、授業の全体像を把握し、ポイントが明確になり、学習した内容の確認と定着を図る一つの手立てになります。第三に、整理した内容を学級全体で共有します。この共有する活動では、自分がまとめた内容の検証をすることができ、学級全体で学びの確認を図ることができます。

〈 整理する活動のポイント 〉

① まとめの時間は授業の要点整理の時間

② まとめは教師が整理するのではなく、児童生徒が自分の言葉でまとめる
（ねらい通りのまとめになったら、授業は成功!?）

③ まとめの時間は、授業のフィードバックとフィードフォワードの機会

⑫ **まとめ**（整理する活動）　⑬ **まとめ**（評価する活動）

B	C	D	E
	児童生徒がまとめているが、本時の学習を整理したものになっていない		児童生徒がまとめをすることなく、授業が終了している。
	ただ振り返りを行っただけで、これからの学習に繋げられていない		児童生徒が振り返りをすることなく、授業が終了している

⑬ まとめ（評価する活動）

前述の「まとめ（整理する活動）」は、どちらかというと1単位時間における学習した内容の整理が中心でしたが、ここで扱う「まとめ（評価する活動）」は、過去から現在、現在から未来に向けた、連続したステップの起点となる活動やその行動の記録を指しています。例えば、自分の学習の取り組みを俯瞰して振り返ることで、何ができるようになったか、何がまだできていないかを判断し、今後の授業時間の取り組みであったり、家庭学習への取り組みであったりに活かそうとする行動の変容として蓄積されていきます。PDCAサイクルに基づいた行動は、児童生徒が身につけなければならない主体的な行動の育成にも繋がり、ますます重要な役割を担うことになります。

ICTの環境が整えば、このようなポートフォリオ的な評価（自己評価、他者評価、相互評価）の積み重ねや、学校生活におけるキャリア活動の記録、学習状況の経過などを「点」として捉えるのではなく、「線」として捉えることがますます求められてきます。このような背景には、アドミッションポリシーの明確化が進められている大学入試の変革の動きがあり、その動きは、高校にとどまらず、やがて中学校や小学校にも降りてくるのは必定です。

今現在、このような変革の動きを踏まえた「まとめ（評価する活動）」の時間を活用している授業実践例は、公立小中ではあまり多くは見られませんが、今後、必要になってくる活動であることは間違いありません。

3-3 授業全体を通して　1.授業者の特性

	キー・コンピテンシー	定義	A
T	授業者の表情	TPOに合わせた表情（安心感を与える笑顔／熱意や思いを伝える真剣な表情）ができる。	TPOに合わせた表情ができている。
T	授業者の発声・口調	滑舌が良く、語尾が明確で聴き取りやすい口調、十分な声の大きさ、適度なテンポの抑揚のある話し方である	状況に応じて、音量・声質及び抑揚を変えて、メリハリがある

❶ 授業者の表情

教室に入ってくる先生の姿を見て、児童生徒が教師の気持ちの持ちようを判断することは、日常的な風景です。教師の表情が笑顔だったり、柔らかな表情だったりしたときには「何か良いことが起きそう」「良い報告が聞けそう」など、安心感や期待感が持てるようになります。このような感覚は、児童生徒をリラックスさせたり、児童生徒の意欲や一体感を引き出したりすることにつなげることができます。

逆に、仏頂面した表情やまったくの無表情は、児童生徒に緊張感・不安感を与えます。なんだか先生は機嫌が悪いのかな、怒っているのかな、怖い、変なこと言ったら叱られそうなど、身構えたり、静かにしていようなどの消極的な気持ちにさせたりします。

自然な優しい表情でいることは非常に大切なことですが、必要に応じてときには真剣な顔つきをしたり、改まった顔つきをしたりすることも必要です。児童生徒にはいつもと違う感じを与え、「大事な話をするかもしれない」からと、緊張感や真剣に話を聞こうとする姿勢をつくることにつながり、指導の効果を引き出すことができます。

〈 授業者の表情のポイント 〉

① 無表情な対応は相手の心を萎縮させる（大人も子どもも同じ）

② TPOに合わせた表情が大事

③ 教師と児童生徒が、授業を通して一緒に成長する喜びが、自然と笑顔に繋がる

❶ 授業者の表情　❷ 授業者の発声・口調

B	C	D	E
	授業規律を重視するあまり、厳しい表情が中心となっている	常に柔らかい表情をしているが、必要な場面でも、真剣な表情をすることがない	常に、無表情であったり、怒った様な表情である。
	声量は適正で聞き取れるが、単調で一本調子		滑舌・声の大きさ・早口・語尾の不明瞭等で、聞き取りづらい

❷ 授業者の発声・口調

聴き取りやすい教師の声の特徴としては、声量があり、滑舌が良く、良く通る声質で、ハッキリした語尾の言い回し、丁度良いテンポなどが挙げられます。ただし、せっかくこれらの好条件を備えた先生の声でも、終始大きな声で、同じトーン（音の高低）のまま、同じ口調で1時間聞き続けると、苦痛に感じることが良くあります。一本調子の発声では、すぐに飽きがきて子どもの集中力を低下させ、眠気を誘います。そこで大事なのは、やはり話のテンポ、リズム、抑揚などで声に変化をつけることです。

また、教師の口調にも表情と同様に一人ひとり個性があります。明るい口調、暖かい口調、柔らかな口調は、「自分をそのまま受け入れてくれそう」など、児童生徒に安心感を与えることができます。逆に、暗い口調、冷たい口調、命令口調では教師と児童生徒の間に距離感が生じ、必要以上に威圧感、締め付け感を与え、児童生徒は常に緊張感のなかで生活することになります。

いずれにしても、自分の特性を理解した上で、場面や状況に応じて適切に、効果的に活用していくことが大切です。

〈 授業者の発声・口調のポイント 〉

① まずは、声量、滑舌、ハッキリした語尾の言い回し

② それができたらテンポ、リズム、抑揚、トーンに気をつける

③ 発声を良くするポイントは第一に、母音の口のかたちを意識すること、第二に腹式の発声を意識すること

❸ 授業者の目線・気づき　❹ 体の向き

	キー・コンピテンシー	定義	A
T	授業者の 目線・気づき	学級全体を見渡す目線で、児童生徒の理解の度合いや集中の様子などを把握し、状況に応じた適切な対応をとることができる	常に全体を見渡し、一人ひとりの状況を把握している
T	体の向き	児童生徒に当事者意識を持たせたり、安心感を持たせたり、教師の熱意や意欲を示すために体を常に正対するよう心がけている	児童生徒に安心感をもたせ、熱意や意欲を示す体の向きである

❸ 授業者の目線・気づき

教師1人と40人近い児童生徒では、1対1の会話を通してのコミュニケーションはなかなか難しいものがあります。短時間で行うことのできるコミュニケーションツールは教師の視線です。先生が自分を見てくれているという瞬間は、児童生徒にとっては短いけれど大切な時間になります。

ただし、教師の目線は、自分では見ているつもりでも、案外見えていないことが多く、児童生徒の一人ひとりが見られていると感じられるようにしたいものです。そのためには、意識的に目線を動かす必要があります。慣れないうちは、自分の目の前の子どもたちに目線がとらわれがちです。あえて後列の子どもたちに目線を向け、一人ひとり目を合わせながら順次前の列へと目線を動かすことで、全員が「見られている」と感じることができます。教卓から子どもたちを見るときの目線の範囲は、自分を中心にしたおうぎ形になるので、両脇の子どもたちが視線から外れてしまいます。教師自身が場所を動きながら全体を視野に入れるよう努めましょう。

〈 授業者の目線・気づきのポイント 〉

① 子どもたちを見守る場合、大切なのは気づき

普段の様子と何かが違っていると感じ取ることが大切です

② 教師と子どもたちの距離感は座席によって違いがでるもの

前方の子どもたちだけで話が進むと、後方の子どもたちの気持ちが離れがちになるので、後ろの児童生徒とのやり取りを意識する必要があります

③ たまには教室の後ろに移動し、教師の立ち位置を後ろに置くことも大切

B	C	D	E
	概ね全体を見ているが、児童生徒の全体の状況が把握できていない	目線が一部に限られ、児童生徒の全体の状況が把握できていない	ほぼ児童生徒を見ていない
	概ね正対しているが、板書やICT機器などのツールを使う際には正対していないことが多い		児童生徒に体を向け正対することがほぼ見られない

❹ 体の向き

話をするときは相手に体を正対し、顔を見ながら話すことが基本です。体を児童生徒に向けて話をすることで、顔だけを向けられるときよりも、子どもたちは自分に向けて問いかけられていると感じ、当事者意識が自然に生じます。特に、大事な内容を伝えるときは、しっかり体を向けることを意識したいものです。

ときどき、教師が板書しながら話す場面を見かけます。黒板に向かったままで話をしていたら、通じる内容も半減してしまいます。体を児童生徒に向けるタイミングを工夫しましょう。また、プリント類を配りながら大事な話をしたり、ICT関係の機器を操作しながら話したりするときの体の向きも同様です。教師が作業をしながら話をする場合は、児童生徒の意識はその作業に向いてしまします。例えば、ノートをとることや画面を見ること、プリントを配ることに意識は向いて、話を集中して聞くことは難しくなってしまいます。重要な話をする際は特に、作業をすることと話をすることは分離して、自分の体をしっかり子どもたちに向けて話すことが大切です。

また、子どもたちが発表する場合にも、発表者が聞き手である児童生徒に体を向けて発表できるようにします。発表者はどうしても教師に向けて発表しがちで、教師が発表者の近くに立つと、聞き手に対して正対できなくなってしまいます。教師が聞き手である児童生徒の後ろ側に立ち位置を変えることで、自然に発表者は、子どもたちに体を向けて話をする形になります。

〈 体の向きのポイント 〉

① 話をする際に、体を聞き手にしっかり向けることは、教師も児童生徒も同じ

② やむを得ず、作業をしながら話をする場合には、話の最後に児童生徒に体を向けて話しかける
児童生徒に当事者意識を持たせるようにしましょう

2. 指導技術

	キー・コンピテンシー	定 義	A
T／S	授業ルールの完成度	（年度中〜末）授業ルールを注意・声かけしていなくても、望ましい状態が当たり前に実行されている	教師が注意・声かけしなくても自然にルールが実行されている
T	指示の徹底	（年度当初）授業を円滑に進めるために、毎時間行われる児童生徒に向けた指示を、全員が早く正確に実行できるよう意識的に取り組んでいる	指示を出したら、全員が指示通り行動したかを毎回確認している
S	指示の徹底	（完成期）ルーチン化された行動については、指示が出されなくても、自分で判断し、行動できるようにする。また、そうでない指示についても、目的を理解し、必要な行動がとれるようにする	指示が出されなくても、自然に、必要な行動を学級全体でとることができる

❶ 授業ルールの完成度

授業ルールとは、自分たちが楽しく授業を受けるため、一人ひとりの学力を伸ばすために必要な約束事です。規律維持のためのルールではありません。クラスで充実した学習を進める上で、誰もが守らなければならないルールとして日頃から意識され、教師の注意や呼びかけ、児童生徒同士の声かけなどにより、理想の状態に近づけたり、理想の状態を維持したりすることで徐々に成熟していくものです。授業ルールの完成形は、こうしなければならないというような縛りのなかで維持されるものではなく、一人ひとりにとって、特に意識をしなくても自然とそのような態度や行動をとることが当たり前にできるようになることが理想の形といえます。

〈 授業ルールのポイント 〉

① 授業ルールが、少しずつ低下していくことはやむを得ないこと
ただ、下がった時点で当初の状態に引き上げることが大事です

② ルールを守ることは、学級の一人ひとりが、安心・安全を実感できる機会にもなる
良好な人間関係づくりにも好ましいでしょう

❶ 授業ルールの完成度　❷ 指示の徹底

B	C	D	E
教師の簡易な声かけで、望ましい状態に戻ることができる	教師の簡易な注意喚起で、望ましい状態に戻ることができる	教師が強く注意することで、望ましい状態がつくれる	教師が強く注意しても、ルールが機能していない
	教師が指示を出し、概ね揃ったところで、次の指示を出している	指示を出しても、確認せずに次の指示を出している	必要な指示が出されていない
	教師による、簡単な促しや声掛けで、必要な行動をとることができる	教師の指示により、必要な行動をとることができる	指示が出されても指示通り行動しない

❷ 指示の徹底

授業のなかで指示を出す機会は多くあります。教師が指示を出すと児童生徒がすぐに行動に移す授業もあれば、指示が出されてから行動に移すのに時間がかかり、指示通り行動しないまま授業が進行していく場面もあります。教師の指示通りに行動することは学習に臨む姿として身につけさせたい姿勢の一つでもあります。そのためには教師が一つひとつの指示を大切にすることが大切です。年度当初のクラスでは、なおさらです。指示を出したら全員が行動に移し、指示された状況が実行されることを確かめる必要があります。例えば「教科書の〇ページを開きなさい」という指示を出したら、全員がそのページを開いていることを確認してから次の作業に入る、といったことを繰り返し行う必要があります。

〈 指示を徹底する際のポイント 〉

① 年度当初は、特に指示・確認を丁寧に行う

最初時間がかかるように思いますが、定着すれば授業における無駄な時間が短縮でき、スムーズな授業の進行が実現します

❸ 発問　❹ 指名

	キー・コンピテンシー	定 義	A
T	発問／指名のしかた（考えさせる発問）	**発問の内容：**主発問ばかりではなく、補助発問によって考えを深めたり、広げたりするよう工夫して発問をしている	児童生徒の発言に対し、なぜ？ どうして？ この場合はどう？ などの追加質問で、考えを深めようとしている
T		**発問の活用：**児童生徒の発言を整理し、フィードバックすることで、学級全体で共有し、理解を深めている	児童生徒の発言をまとめ、全体に共有・活用している
T		**指名のタイミング：**発問の内容によって、指名の方法や指名のタイミングを工夫し、児童生徒に考える機会を保証している	発問の後、十分に時間をとり、学習効果を考えて指名している
T		**指名の偏り／意図：**指名する際には、意図を持って指名が偏らないよう配慮して指名している	発問の内容を踏まえ、全体から指名できるよう配慮している

❸ 発問の内容・発問の活用

授業を計画通りに進めようとして、児童生徒を意図的に教師の目指す方向へ導く発問をする場合があります。学校行事で授業に遅れが生じたり、単元テストの予定した期日に間に合わせたかったり、あるいは、まとまりのある内容を1時間のなかに収めたいという思いは理解できますが、子どもたちの理解の状況を考慮する必要があります。

一問一答型の発問やYes／Noで答える発問、教師の求める答えを忖度するような発問を多用すると児童生徒の思考を止めてしまう恐れがあります。

また、多くの授業では、教師の発問と児童生徒の回答（解答）のやり取りのなかで授業が進められていきます。なかには指名された子どもと教師の間だけで授業が進んでしまう場合があります。個々の回答（解答）を全体で共有することを常に意識したいものです。その際、子どもたちの回答（解答）には、誤った解答やわかりづらい解答もあります。このような場合にも、教師がすべて説明してしまうのではなく、子どもたちに「この答えどう思う?」など、児童生徒の考えを深める追加質問を工夫しましょう。

〈 発問の内容・発問を活用するためのポイント 〉

① 授業では、教師はファシリテーターとしての役割を担う

B	C	D	E
	教師が、なぜ？どうして？の部分を含め説明してしまっている	児童生徒の発言をそのまま受け止め、深めないまま授業を進めている	考えさせる発問がない
児童生徒の発言をまとめ、一部と共有している	児童生徒の発言をまとめてはいるが、共有になっていない	児童生徒の発言をまとめていない	発問がない
発問の後、十分に時間をとっているが、意図なく指名している	発問の後、考えさせずに、すぐ指名している	常に発問の前に指名している	考えさせる発問がない
	指名に偏りはないが、意図なく機械的に指名している	一部のグループの児童生徒を指名して授業を進めている	発問がない

❹ 指名のタイミング・指名の偏り／意図

指名は、意図があって行われます。発問をした後に、子どもたちの声を拾うか、挙手をさせて指名するか、いきなりこちらから指名するかが行われます。また、発問の後に間を開けずに指名するか、充分に間を取ってから指名するか、発問の内容によっても違ってきます。指名をする際にいつも同じ子を指名してしまったり、座席の前方の子どもたちを中心に応答をして、授業を進めてしまったりしがちです。全体を巻き込むような指名のしかたを心がけましょう。

〈 指名のタイミング・指名の偏りのポイント 〉

① 記憶を中心とした内容を確認する問題や瞬間的に答えられるまで習熟させるような問題では、フラッシュカードのように、スピード感のある指名が必要

② じっくり児童生徒に考えてもらいたい問題や自分の考えを整理して発表するような問題は、充分に「間」を取ってから指名する

③ 発問→指名の順を意識する

基本的に、指名→発問の流れは、先に指名された子だけが真剣に考え、ほかの子たちは人任せにしがち。発問→指名の順だと、発問が全員に向けられたと考え、全員に当事者意識が生まれます

❺ **説明する力**（プレゼンテーション）　❻ **引き出す力**（ファシリテーション）

	キー・コンピテンシー	定義	A
T	授業者の説明力 プレゼンテーション	児童生徒の学習の状況を踏まえた上で、理解の不十分なところ、つまずきやすいところ、疑問に思うことなどを補いつつ、わかりやすく説明することができる	児童生徒の不明瞭なところを把握し、簡潔にわかりやすく説明することができる
T	授業者の引き出す力 ファシリテーション	教師の発問、投げかけ、助言と承認により、児童生徒の気づき・考えを引きだし、全体で共有しながら、学習者の学びを活性化させ、協働を促すことができる	発問、投げかけ、助言、承認等を駆使して、児童生徒の考えを十分に引き出し、授業を活性化させている

❺ 説明力（プレゼンテーション）

新学習指導要領の解説編の（2）改訂の基本方針3「主体的・対話的で深い学び」の実現に向けた授業改善の推進の（エ）では、「1回1回の授業で全ての学びが実現されるものではなく，単元や題材など内容や時間のまとまりのなかで，学習を見通し振り返る場面をどこに設定するか，グループなどで対話する場面をどこに設定するか，児童生徒が考える場面と教員が教える場面をどのように組み立てるかを考え，実現を図っていくものであること」と記されています。このことから、授業の構成として、児童生徒が主体となって活動する場面と、教師が教え、伝える場面を効果的に配置する必要があると考えられます。

まさに、教師が教え、伝える場面で発揮されるのが、教師の説明する力といえます。実際の授業では、往々にして教師の説明が多くなり、本来児童生徒が考えなければならないところまで、教師が説明してしまうケースが見受けられます。教師が説明する場面と児童生徒が考える場面を明確に区別して取り組みたいものです。

〈 **説明する際のポイント** 〉

① 説明する力のおおもとは、教師自身の単元の理解力と児童生徒のつまずきや誤りやすいところなどの児童生徒理解にある

② 新しい知識を児童生徒にプレゼントするという気持ちで説明する

B	C	D	E
	わかりやすく説明しようとしているが、児童生徒がつまずいているポイントとズレている		児童生徒がかえって混乱するような説明になっている
	発問、投げかけ、助言、承認等をしているが、児童生徒の考えを十分に引き出せていない	児童生徒の考えを引き出し、活性化させる発問、投げかけ、助言、承認が少ない	児童生徒の考えを引き出し、活性化させる発問、投げかけ、助言、承認がない

❻ 引き出す力（ファシリテーション）

ここでは、児童生徒の活動を中心に置いたときの、教師の役割について述べたいと思います。クラス全体での話し合いやグループでの話し合い活動を活性化して、子どもたちが主体的にかかわる状況をつくり出すことが求められています。そのためには、子どもたちが自分の意見を安心して発表できるような環境づくりが必要です。つまり、「誰もが自由に発言してもいいんだ」「自分の発言に対して友だちは受け入れてくれる」「反論があったら反対意見としてきちんと伝えてくれる」といった気持ちがもてる環境づくりです。また、議論をする際には、教師の考えを押しつけるのではなく、子どもたちの意見の方向性を確認したり、考え方が狭くなっていれば、広げるような視点を示したり、「みんなの言いたいことはこういう事？」など、子どもたちの考えを一旦整理して、さらに議論が進むよう支援したりすることが大切です。話し合いの最後には、児童生徒がまとめた結論で問題はないか、そのほか付け足すことはないかを確認した上で、「全員の合意を得て結論が出されたこと」を共有しましょう。

〈 引き出す際のポイント 〉

① 教師が計画した通りに児童生徒を強引に誘導しようとすると、子どもたちを置き去りにしてしまう場合もある

② 児童生徒の活動の方向がズレたら軌道修正を。常に本時のねらいや目標に立ち戻ることが大切

③ 指導案通りに授業を行うことを目的にしない。子どもたちが活性化すると、想像以上の考えや意見が出て、想定した時間内に納まらない「うれしい誤算」もある

❼ 板書スキル　❽ ノート指導（プリント記入やICT機器への書き込みも含む）

	キー・コンピテンシー	定義	A
T	板書スキル	授業の流れや内容が簡潔に整理され、板書のルールが明確で、ノートを見返したときに、学習した内容が思い起こせる板書になっている	板書事項が、そのまま学習の流れを的確に表し、振り返り（復習）のしやすい内容になっている
T	ノート指導（授業内）	授業で黒板に書かれた板書事項をノートなどに書き写すばかりでなく、自分が重要だと思う事項も進んで記述させ、いつでも授業の振り返りができるように指導している	児童生徒に板書事項以外に自分が重要だと思う事項もすすんで記述させるなど、工夫したノート等になるよう指導している

❼ 板書スキル

板書事項には（1）本時の学習の目的を明確に示す、（2）今何を学習しているのかなど学習の流れを視覚化して示す、（3）児童生徒の考えを記録する（4）学習した内容のポイントを整理して示す、などの役割を持っています。子どもたちがもう一度振り返って学習内容を定着させるためには、必要不可欠なものといえます。

また、最近ではICT機器の活用やワークシートを使用して効率化を図る授業が増えてきています。モニターの画面やプリントの紙面が板書事項になるケースもあり、今、子どもたちのノートがどうなっているか？ イメージしておく必要があります。

〈 板書をする際のポイント 〉

① 丁寧で、読みやすい字で、後ろの席の児童生徒でも読み取れる位の大きさの字で書かれている（小学校の低学年では、板書する文字数は、児童のノートのマスの数と一致している）

② 簡潔で、ポイントを押さえた、整理された内容になっている

③ 大事な点は、色チョークやアンダーラインなどを使い、強調して目立つ表現になっている

④ 板書の基本的な約束事（「めあて」や「まとめ」は四角で囲むなど）は、常に統一したルールで使用している

⑤ 授業の終了時の黒板には、その一時間の学習の流れや学習のポイントが整理されて、一目で見通せる内容になっている

⑥ 子どもが家庭学習を行う際に、授業の内容が思い浮かべられる内容になっている

B	C	D	E
	授業者の板書のルールが明確で、わかりやすいが、復習に必要な情報が不足している	板書の内容は、授業の流れに沿っているが、整理のしかたが不十分で、板書のルールがわかりづらい	板書の内容が、授業の流れを示しておらず、整理がされていない。板書のルールもない。
	全員に板書事項などの必要最低限度の内容をノート等に書き写させている		児童生徒に必要な板書事項を記述するよう指導していない

❽ ノート指導

ノートをとる作業は、教師の言葉を耳で聞き、板書された内容を目で見て読み取り、それをノートに書き写す、という一連の作業を通して、学習した内容を記憶に留め、定着させるために必要な行為といえます。しかし、学年が進むにつれて、ただ単に書き写すことが目的になり、機械的で、形骸化してしまうケースが見られます。そもそもノートを書き写す行為自体が、受動的であるともいえるため、自ら進んで学習に取り組もうとするような主体的な姿勢が必要になります。児童生徒の発達段階に応じたノート指導を心がけましょう。

例えば、小学校の低学年では板書された内容を正確に書き写す。そのために、ノートに書く時間を充分に確保する。学年が進むにつれ、自分なりの工夫を取り入れる。大事なところを判断し強調する。高学年では、板書されていなくても大事と思われるところをノートに書くなど。理想のノートづくりに向け、工夫されたノートを紹介したり、ノートの活用のしかたを承認したりするなどの、教師の働きかけも必要です。

〈 ノート指導のポイント 〉

① 初期段階では、板書事項は正確に書き写すことや、式や図の大きさにも助言
② 早く、正確に、丁寧に書く（早く書くが殴り書きで読めない／丁寧だが、時間がかかりすぎ）
③ 板書以外でも重要な事項は追記する（自分の考え、友達の考えなど）
④ 後で読み返したりするときに、わかりやすいよう整理して書かせる
⑤ プリントは保存方法や活用方法の指示をする

❾ ○付け・答え合わせ

	キー・コンピテンシー	定 義	A
T／S		**小1～小3：** わかること、できることを○付けによって可視化することで、自己肯定感を高め、児童の学習意欲を引き出し、自ら解き直し（やり直し）することができる ※教師が採点する	○付けを工夫する（花丸、スタンプ、シールなど）ことで、児童の学習意欲を引き出し、進んで解き直し（やり直し）に取り組ませている
T／S	○付け・答え合わせ	**小4～小6：** ○付けのルールなどを設定して、単に○×を付けるだけではなく、間違えた問題は誤りの原因が見つかるまで、迷った問題は正解の根拠を理解するまで、何度も繰り返し取り組むなどの主体的な学習につなげることができる ※自己採点が中心	間違えた問題や迷った問題については、原因を究明し、自分で解決するなどの学習を通して、主体的な学びにつなげている
T／S		**中1～高3：** 答え合わせに主体的に取り組み、自ら工夫をすることで、学校でも家庭でも効果的な学習につなげることができている	答え合わせの際には、自ら効果的な学習につなげられるルールを設定し、主体的な取り組みを実践している

❾ 答え合わせ・○付け

答え合わせをする目的は、学習した内容がどのくらい定着しているか確かめることにありますが、もう一つ、自分に自信を付けるとともに、勉強が好きになり、意欲的に学習に取り組む姿勢をつくることも大切です。この二つの目的は、年齢に関係なくどの年齢にも該当しますが、その割合は年齢とともに変化していきます。低学年のうちは、学習した内容の理解やつまずきの解決よりも自信・意欲の向上の占める割合が大きいですが、年齢が上がるにつれて、自信・意欲の向上を目的とする割合は減って、理解と定着の割合が増えているように思われます。図で示すと、右の図のようになります。

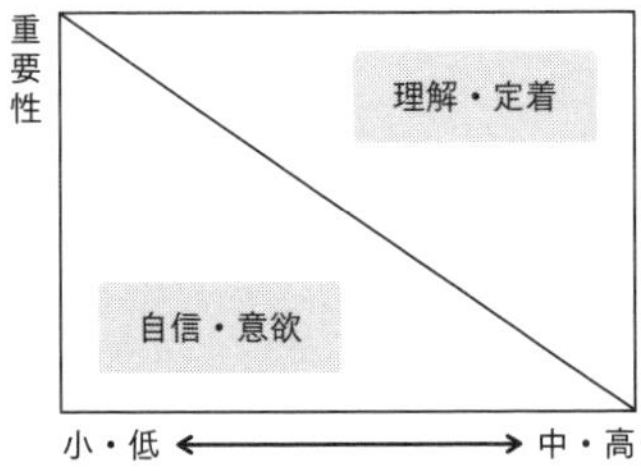

B	C	D	E
	○付けを工夫して児童の自己肯定感は高まっているが、意欲にはつながらず、解き直し（やり直し）には至っていない		○付けに工夫が見られず、児童の学習意欲を引き出せていない
間違えた問題については、誤りの箇所を見つけ、解決しているが、その問題のみの理解、定着に留まっている	正解を基に、何ができて、何ができなかったかを把握し、誤りの箇所を見つけることができるが、理解、定着までには至っていない	○付けはできるが、できた問題、できなかった問題を把握するだけに留まっている	○付けの指導が十分ではなく、自己採点ができない
間違えた問題については、誤りの箇所を見つけ、解決しているが、その問題のみの理解、定着に留まっている	正解を基に、何ができて、何ができなかったかを把握し、誤りの箇所を見つけることができるが、理解、定着までには至っていない		答え合わせの時間が、単なる○×を付ける時間になっている

〈 発達段階に応じた取り組みとして 〉

① 低学年では、基本的な問題を繰り返し行い、○付けをしてあげることで、勉強に自信を持ち、意欲的に学習に取り組む姿勢をつくることが大切

② 小４～小６では、何がわかっていて、何ができなかったかを自分で確かめる。
できなかった問題については、誤りの原因を解答から、確かめることができるようにする

③ 中・高では、単に正解・不正解を確かめるだけではなく、問題を分析し、できた問題でもほかの解法がないかを考える。間違えた問題についても、自分の誤りがどこにあったかを自ら発見・分析し、誤りやすい点として自覚、改善することが大切

※アメリカなどの海外の場合は、日本とは○付けのルールが違います。
海外からの児童生徒は、日本の方法にびっくりするケースもありますので、要注意。

【授業で見受けられる○付けの方法例】

●口頭で教師が正解を読み上げ、一斉に○付けをする。

メリット 短時間で処理ができる。

デメリット 教師にとって間違えた箇所の把握や個別指導をすることが難しい。

●口頭で児童生徒が順番に解答を読み上げ、一斉に○付けをする。

メリット 短時間で処理ができる。

デメリット 自分の番が気になり、○付けに集中できない場合もある。
児童生徒の声が小さい、周りの声で聴き取りづらいなどの場合も。

●机間指導で○付けをする。

メリット 自力解決ができた児童生徒の状況が把握できる。

デメリット できた児童生徒の○付けに追われ、個別指導の必要な子への対応が疎かになる。
また、時間がかかる。

●児童生徒を指名して、板書させてから○付けをする。

メリット 途中の考え方や表現の不明確なところを全体に共有できる。

デメリット 指名されていない児童生徒の当事者意識が薄まる。
何も考えず板書を写す児童生徒も出てくる。

●解答を掲示し、各自移動して○付けをする。

メリット ○付け以外の児童生徒への個別指導に集中できる。

デメリット 掲示場所が混雑し、トラブルの原因になりやすい。
○付けのしかたが、煩雑になる。

●解答用紙を全員に配り、各自で○付けをする。

メリット 個別指導に集中できる。

デメリット ○付けのしかたが、児童生徒任せになりがち。

●教卓で〇付けをする。

メリット　前に来た児童生徒の対応が丁寧に行える。

デメリット　個々の対応に気を取られ、全体が見られなくなる。
また、自席で悩んでいる児童生徒に対する個別指導ができない。

●隣と交換して〇付けをする。

メリット　ほかの児童生徒の解答を参考にできる。
小テストなどの不正防止。

デメリット　採点できるのは解答のみで、途中経過を見取ることは難しい。
個人情報やプライバシーの問題。

●グループで〇付けをする。

メリット　グループ内での協働意識は高まる。

デメリット　グループ内での児童生徒同士の過剰な関与でトラブルになることもある。
個人情報やプライバシーの問題。

❿ 児童生徒への関与　⓫ 教材・教具の活用

	キー・コンピテンシー	定 義	A
T	児童生徒への関与	タイミングの良い注意・褒める・声かけ・見守りなどの関与によって、児童生徒の集中力を高め、学習の意欲を引き出している	適切な関与によって、児童生徒が前向きに授業に取り組むことができる
T	教材・教具の活用	（授業中）準備した教材・教具の特性を活かすことで、児童生徒の学習意欲を引き出し、理解を深めている	準備した教材・教具を有効に活用し、児童生徒の意欲を引き出し、理解を深めている

❿ 児童生徒への関与

授業時間における教師の児童生徒への関与のしかたはさまざまなものがあり、授業のなかで頻繁に行われています。声かけをしたり、見守ったり、褒めたり、励ましたり、注意したり、叱ったりと児童生徒の成長を願って教師としての思いを伝えています。その声かけや注意には、いくつかの目的があります。

〈 児童生徒への関与のポイント 〉

1 学習環境の整備

① **安心安全の場の提供：**児童生徒が安心して発言し、「間違えても良いんだ」と思えるような学級全体で受容できる雰囲気をつくり出す

② **人間関係の確立：**クラス全体が仲良し集団を目指すのではなく、個人やグループの違いを認め合いながらも、協力するときにはまとまることができる集団づくり

③ **授業規律の維持：**授業における守るべきルールをクラス全体が尊重し合い、学習に向かう望ましい環境をつくり出す

2 児童生徒の学習に向かう姿勢づくり

① **児童生徒の学習意欲向上：**児童生徒の個々の学習に取り組む姿を積極的に評価し、承認することで、学級全体の意欲向上につなげる

② **集中力の維持：**給食の時間や体育の授業の後など、学級全体が停滞してしまう時間帯では、緊張と緩和を効果的に取り入れ、気持ちを入れ替える

③ **自己肯定感の向上：**児童生徒が自分の意見や考えを発表した際には、正誤にかかわらずに、「ナイストライ」などの言葉で、積極的に学習に取り組んだ姿勢を評価し、自己肯定感の向上に繋げる

B	C	D	E
	関与はあるが、児童生徒の改善につながっていない		必要な関与がほぼない
	準備した教材・教具を活用し、児童生徒の意欲を引き出しているが、理解を深めるには至っていない	準備した教材・教具を活かせず、児童生徒の意欲を引き出し、理解を深めるに至っていない	意欲を引き出し、理解を深めるための教材・教具が不足している

⓫ 教材・教具の活用

児童生徒の興味関心を引き出し、学習に対する前向きな姿勢をつくり出したり、学習内容の理解を一層深めたりするために、効果的な教材教具の工夫・活用は不可欠です。ここでは、一般的にいわれているように、「教材」は単元の目標を達成するために必要な材料（素材）とし、「教具」は教材を効果的に児童生徒に習得させるための道具として考えています。教材を選択する際には、児童生徒にとって身近に感じられる内容、児童生徒のさまざまな考えを引き出せる内容、児童生徒が今後の学習や生活に活用できる内容を考慮したいものです。

教具では、児童生徒が直に触れ、操作・作業を通して理解が深められるもの、グラフや地図、写真などの補助的な資料を提示することで、考えの幅が広がり、より具体的なイメージにつながるものなどが考えられます。

ICT機器やタブレット、デジタル教科書などを教材教具として活用する場面では、それぞれの特徴を活かす必要があります。静止画、動画、アニメーション等の「視覚教材」として、写真や動画撮影などによる「記録媒体」として、個々の進度に合った「ドリル教材」として、個人やグループの発表に使用する「プレゼンテーションツール」として、児童生徒の「学習活動の記録・整理・蓄積のツール」として、活用できます。そのほかさまざまな学習支援アプリや、いつでもどこでも何度でも再生可能な授業録画など、その可能性は広がるばかりです。

いずれにしても、教材・教具は授業における一つのツールであり、あくまでも単元の目標達成のための手段として、活用を図る必要があります。

⓬ 活動時間の設定　⓭ 授業時間

	キー・コンピテンシー	定義	A
T	時間管理 （活動時間の設定）	学習活動の時間を適切に設定することで、児童生徒に時間配分を意識させたり、集中して作業に取り組ませたりするなどの主体的な活動を引き出している	適切な時間設定をすることで作業効率を上げ、時間配分を意識させるなか、集中して取り組む状況を作っている
T	時間管理 （授業時間）	本時のねらいを達成するために、学習活動の時間を適切に配分し、状況に応じた時間管理を行うことで、児童生徒にとって無理のない授業を展開している	時間管理を適切に行い、学習のねらいが達成でき、計画通りに余裕を持って授業が終了している

⓬ 活動時間の設定

児童生徒に考えさせたり、作業をさせたり、話し合いをさせたりする場合、時間を設定して行うことがあります。しかし、最初の設定時間では収まらずに時間を何度も延長したり、逆に時間に余裕がありすぎて、時間をもてあましたりしてしまう場面もよく見かけます。このようなケースでは、次の作業や展開に影響が出てしまい計画通りの授業展開ができなくなってしまいます。児童生徒の実態を踏まえ、適切な時間設定を行うことで、主体的な学びの場につなげましょう。

〈時間設定を行うポイント〉

●児童生徒にとっては、

① 設定された時間内に終わらせるという意識をつくることができる

② 課題を解決するために必要な時間の感覚を育成することができる

③ 時間管理（配分）の練習することができる

例えば、話し合いなどで時間設定があれば、意見を出し合う時間は何分、意見を整理するのに何分、結論をまとめるのに何分など、ある程度時間を想定して、効果的な時間の活用が図れることを目指したい

●教師にとっては、

① 時間設定を繰り返し行うことで、予測した時間と実際にかかった時間とのずれを少なくすることができる

② 時間配分を踏まえて、授業の展開を頭のなかでシミュレーションすることができる

③ 適確な時間配分は無駄が少ないため、子どもたちの理解をより深めることができる

B	C	D	E
	適切な時間設定であるが、指示が不十分なため、丁寧さや正確さに欠ける状況が見られる	時間設定はしているが、過不足があり、時間をもてあます、もしくは、やり終えない児童生徒が多くいる	時間設定がないので、のんびりし過ぎたり、集中力に欠けたりする児童生徒が多くいる
	時間内に授業は終了しているが、児童生徒にとって駆け足の授業になっている	授業を延長することで、内容は終了したが、次の時間に影響が出ている	授業を延長しても、中途半端な内容で終了し、次の時間に影響が出ている

⓭ 授業時間

小学校45分、中学校・高校50分の授業時間のなかで、単元のなかの一つのまとまりを収めきることは、難しいことです。導入・展開・まとめをイメージしながら指導計画を立て、その計画に沿って授業を展開するには、前述の時間管理の精度を上げる必要があります。よく、導入や展開に時間をかけすぎて、まとめまでいかずに途中で授業が切れてしまう場面をよく見かけます。このような授業を常態としているケースでは、1時間1時間のまとまりが崩れ、授業が前時のやり残しから始まるなど、途中から始まり途中で終わる授業展開になってしまいがちです。もともと教科書の構成は、単位時間のなかでまとまりのある学習ができるようにつくられています。

また、それとは逆なパターンもよく見かけます。児童生徒の状況や行事の関係などで授業の開始が遅れた場合、予定した内容をとにかく終わらせようと、児童生徒の状況を顧みないで、無理に授業を進めてしまうケースもあります。ときには授業終了のチャイムが鳴っても、あと少しだからといって授業を延長し、次の活動に影響してしまうケースもあります。

いずれにしても、時間管理を適切に行うことで、1単位時間のなかで本時のねらいが充分に達成できるような余裕のある授業計画を立てることが理想ですが、やむを得ない場合には、状況に応じた時間管理を行い、児童生徒にとって無理のない授業展開を目指しましょう。

3. 授業内における児童生徒理解

	キー・コンピテンシー	定 義	A
T	発達段階に応じた指導	児童生徒の発達段階における特徴を理解した上で、学級の状況や児童生徒の実態を踏まえ、指導に活かしている	児童生徒の発達段階の特徴を効果的に活用して、授業を進めることができる
T	性差の違いを踏まえた指導	性差の違いを理解した上で、授業における指導の場面で効果的に活用しようとしている	性差の違いを理解し、指導に有効に活用している

❶ 発達段階に応じた指導

児童生徒の発達は個々の置かれた環境により個人差がありますが、その年齢層特有の傾向については、ある程度理解した上で授業に活用したいものです。時折、子どもの発達と教師の指導がマッチしていない場面を見かけます。発達がまだ進んでおらず、理解するのが難しいと思われる段階の子どもに対し理屈で説得しようとしたり、逆に、充分発達が進み理解のできる子どもに対して断定的な指導を行ったり、自分で振り返る時間を与えなかったりする場面も見かけます。

授業においても同様で、教師の口調や発問のしかた、子どもたちの発言や発表のさせ方など、それぞれの発達段階に応じて、適切な対応や指導を行い子どもたちの成長へつなげていきましょう。

〈 **発達段階に応じた指導の重点課題** 〉

● **小学校**（低学年）：集団や社会のルールを守る意識や態度の育成、善悪の判断、感性や情操
※他者理解のはじまる8～10才頃が一つの変わり目

● **小学校**（高学年）：抽象的な思考への適応、自己肯定感の育成、他者の視点に対する理解、集団における役割と責任、実社会への興味関心

● **中学校**：個性や適性の探究、自立・自律の育成、ルールの意義の理解、社会における当事者意識、自由と責任の理解

● **高校**：自らの生き方と主体的な進路の選択と決定、他者の善意や支えへの感謝の気持ち、社会の一員としての自覚と行動

❶ 発達段階に応じた指導　❷ 性差の違いを踏まえた指導

B	C	D	E
	児童生徒の発達段階の違いを授業に活かそうとしている		指導が発達段階における児童生徒の実態と合っていない
	性差の違いを授業に活かそうとしている		性差の違いを活かせず、ギクシャクした関係になっている

❷ 性差（特に男女）の違いを踏まえた指導

発達段階と同様に、男女の差異については個人差もあり、特に育った環境によるところが大きいと言われていますが、一般的にいわれている男女の違い（傾向）を参考に児童生徒の指導に活かせたらと思います。現場では、男性教員は女子に対して、女性教員は男子について指導のしかたを苦手としているケースもあるようです。

〈 一般的に言われている男女の思考・行動の特性 〉

男子	女子
●一つの事に集中	●複数の事を同時に進行
●論理的に話す	●話題を次々に展開
●視覚の発達が早い	●聴覚の発達が早い
●動く物が好き	●大声が苦手
●空間認知力が高く、図形問題が得意な子どもが多い	●言語能力に長けて、国語を得意とする子どもが多い
●攻撃的、活発	●調和的、感情的
●他人の感性に鈍感	●他人の感性に敏感
●会話は問題解決、伝達手段の道具	●会話は安心・安定を得るための道具
●人の話を聞かない	●人の話の細かいところまで覚えている
●男子のいじめは暴力や暴言、物を持たせるなど、与えるいじめが中心	●女子のいじめは仲間はずれや無視、噂や言いふらし、周りの関係を壊すいじめが中心

❸ 性格・特性を踏まえた指導　❹ 学習状況を把握した指導

	キー・コンピテンシー	定 義	A
T	児童・生徒の 性格・特性の把握	児童生徒の個々の性格や特性を的確に把握し、その違いを配慮しながら、意欲を引き出し、学習活動を展開している	個々の性格や特性を把握し、状況にあった対応をすることで意欲を引き出している
T	児童生徒の 学習状況の把握	児童生徒の個々の学習状況を的確に把握し、学習の状況に応じた課題や発問をするなどの活動を通して、児童生徒の意欲を引き出している	児童生徒の学習状況を適切に把握することで、個々の学習意欲や主体的な行動を引き出している

❸ 性格・特性を踏まえた指導

学級にはいろいろな性格、特性を持った子どもがいます。児童生徒の一人ひとりの性格や特性を正確に理解することは難しいことではありますが、少なくとも授業を展開する上で、わかっている性格や特性について配慮しながら対応する必要があります。

また、学級を構成する児童生徒によっては、活発で積極的なクラスであったり、おとなしく、どちらかというと消極的なクラスであったりと学級全体の雰囲気も違ってきます。いずれにしても、個々の児童生徒の性格や特性、学級の特色を踏まえながら、それぞれの良さを引き出し、意欲的に学習に取り組める環境をつくりたいものです。

〈 性格・特性を踏まえた指導のポイント 〉

① 教師がすべての児童生徒を暖かく受け入れることが、学級で受け入れる雰囲気づくりの第一歩

② 普段から教師が積極的な観察を行い、適切な支援や承認を行う

③ 一人ひとりが違っていて当たり前、その集合体がクラス

④ 特別な配慮の必要な子にはその子の特性を学級全体で共有し、学級全体で見守る
（例）授業中に私語が止まらない子どもがいたら、学級全体が楽しく学習するためのルールを確認し、本人の改善すべき課題として学級全体で理解した上で、協力できる態勢づくりを行う

B	C	D	E
	個々の性格や特性に応じた対応を心がけているが、意欲を引き出すまでに至っていない		個々の性格や特性を把 握できていない
	個々の学習状況を把握し活動に活かしているが、意欲を引き出すまでには至っていない		個々の児童生徒の学習状況が把握できていない

❹ 学習状況を把握した指導

最近では、教科によっては習熟度別少人数授業が定着しつつあり、習熟度の差が比較的少ない状況で授業を進める機会が増えてきました。習熟度別少人数授業に比べて単学級による指導では、学習の進んでいる児童生徒と遅れている児童生徒が多数混在するなかで授業が行われなければなりません。それぞれの習熟の度合いに応じて、到達すべき目標も課題も違ってきます。そのようななかで、個に応じた学習を展開し、学習意欲を引き出すには、当然のことながら、児童生徒の習熟の度合いの理解が必要になります。授業の組み立てにおいても、学習の進んでいる児童生徒、中間層にいる児童生徒、学習の遅れている児童生徒を想定しながら計画する必要があります。

学習の進んでいる児童生徒と教師との間のやり取りで、授業が展開するシーンが多く見られます。そのまま進んでしまうと学習の遅れている児童生徒が置き去りにされてしまうことになります。順調に授業が展開しているときには、全員がついてきているかいつも念頭に置き、確認していくことが必要です。

〈 学習状況を把握した指導のポイント 〉

① 授業の組み立てでは、習熟の状況(進んでいる、中間、遅れている)の視点を持って組み立てる

② 指名する際には、発問の内容を工夫し、学習状況を配慮しながら指名する

③ それぞれの学習の状況に応じた目標や課題を設定する

4. 人間関係（リレーション）

	キー・コンピテンシー	定義	A
S	児童生徒同士の関係	児童生徒同士が、互いの個性や価値観・考え方の違いを理解した上で、認め合い、尊重し合う関係がつくられている	グループにとどまらずクラス全体で、認め合い、協働活動ができている
S	教師と児童生徒の関係	児童生徒は教師の想いを理解して行動し、互いに信頼し合える関係のなかで、安心して学習に取り組むことができる良好な関係が保たれている	児童生徒が教師の想いを理解した上で、主体的に協力し合い、行動している

❶ 児童生徒同士

児童生徒同士の人間関係の構築は、そのクラスで日々生活する子どもたちの一番のよりどころとなるもので、学校生活の根底にあるものだと思います。授業においても同様で、安心・安全の場が保障されていることで、授業に集中して取り組み、自分の考えを発表したり、友だちの考えをじっくり聞いたりすることができ、主体的に学びを進めることが可能となります。

授業観察・参観等で教室に入る際、子どもたちから自然な笑顔で「こんにちは」とあいさつの声がかかり、自分が「素直に受け入れられているな」と感じることができる学級は、やはり子どもたちにとって安心、安全の場であることが保障されていることの一つの現れだと思います。

〈 人間関係が良好と感じられる場面や行動とは 〉

① 授業前の表情が穏やかで、笑顔が多い

② 男子、女子が分け隔てなく話ができる

③ 仲の良いグループができていても、ほかのグループの子とも気兼ねなく話ができる

④ その場にあっていない発言に対しても受け止める雰囲気がある

⑤ 教師が特定の児童生徒を指名しても、その意図を学級全体が理解していて、その子を応援する雰囲気がある

❶ 児童生徒同士　❷ 教師と児童生徒

B	C	D	E
8割以上のグループで、認め合い、協働活動ができているが、クラス全体での協働には至ってない	5～7割のグループでは認め合い、協働活動ができている	3～4割のグループでは認め合い、協働活動ができている	ほとんどのグループで他者理解が進まず自分勝手な行動が多く、協働活動ができていない
教師との良好な人間関係が維持されているが、まだ教師主体である	教師の発言や指導に対して、素直に受け入れているが、主体性が見られない	教師に対して、表だった反発はしないが、教師の発言や、指導を受け入れていない	教師に対して、揚げ足をとるなどの批判的な言動が見られる

❷ 教師と児童生徒

教師と児童生徒の人間関係は、児童生徒同士の人間関係と同様で、この先生となら安心して時間を過ごすことができる、自分たちの意見や考えをきちんと受け止めてくれる、今日も何か楽しいことが起こりそう等の信頼と期待の持てる関係でありたいと思います。

〈 教師と児童生徒の人間関係をつくる上でのポイント 〉

年度当初	年間を通して
●児童生徒の名前を覚える ●目と顔を見てのあいさつ ●柔らかな表情 ●一緒に行動する機会の活用 ●積極的な観察と声かけ	●約束を守る ●時間を守る ●公平と思われる行動 ●言動の一致 ●観察と声かけ

〈 教師と子どもたちの人間関係が良好と思われる場面や行動 〉

① 教師の入室した際に見られる児童生徒の期待感
② 教室内でのたわいのない会話のなかで感じられる子どもたちの安心感
③ 教師と個々の児童生徒のやりとりが、学級集団として全体で共有されている
④ 教師の指示に対して、児童生徒全体がすぐに反応している

3-4 授業評価（授業外自己評価）

	キー・コンピテンシー	定義	A
T	学習の定着状況の把握	1年間（学期）を通して、児童生徒が確実に身につけることができたところと、まだ不十分と思われるところを客観的な資料を基に整理し、次年度（次学期）の指導計画に活かすことができる	児童生徒の学習状況を分析し、その結果を次年度（次学期）の指導計画に活かしている
T	今後の授業改善に向けての取り組み	1年間の授業実践を振り返り、自分の目指すべき理想の授業と比較して、自分の課題を明確にし、その改善策について具体的な取り組み方法を検討することで、次年度の授業改善に向けて繋げていくことができる	自分の理想とする授業をイメージし、今後取り組むべき課題を明確にして、次年度に向けて具体的な改善策を検討し、活かそうとしている

❶ 学習の定着状況の把握（フィードバック）

児童生徒の学習の定着状況を確認することは、これまでの指導内容や指導方法を振り返り、今後の授業の改善につなげるために必要なことです。そのためには、

(1) 客観的なデータを基に定着の状況を分析する

単元テスト、定期テスト、学力診断テストなどの結果から、各領域・各分野などの正答率を調べることで全体的な傾向を把握したり、SP表分析などを行い、児童生徒の苦手としている正答率の低い問題を調べたり、誤答分析をして誰がどのような誤りをしているのかの傾向を調べたりすることで、個々の児童生徒について何が足りているか、何が不足しているかを明確にします。

(2) 未定着の要因について分析する

未定着の要因について、次のような観点で分析しましょう。授業時数は足りていたか、単元の内容と指導方法に齟齬はなかったか、毎時間の授業の組み立てはどうだったか、問題の練習量は足りていたか、家庭学習は充実していたか、各単元でつまずいていた児童生徒への補充学習等の対応は十分だったか、宿題の量や質は適切だったか等について振り返ります。

また、次年度（次学期）が始まるまでの間に、補充の学習が必要な児童生徒にどのような手立てを行い、不足している部分をどう補うのか検討し実践しましょう。

※ 実技教科や学力以外の成長という視点は、この箇所では扱っていません。

❶ フィードバッグ　❷ フィードフォワード

B	C	D	E
	児童生徒の学習状況を把握しているが、次年度（次学期）の計画に活かしきれていない		児童生徒の1年間（学期）の学習状況の結果について、把握できていない
	自分の理想とする授業をイメージし、取り組むべき課題を明確にしてはいるが、具体的な改善策を持つまでに至っていない		自分の理想とする授業が固まらず、今後取り組むべき課題が何か、把握できていない

❷ 今後の授業改善に向けての取り組み（フィードフォワード）

授業のかたちは、教師としての成長とともに自身に向ける授業の課題も年々変化して、変わっていきます。同じように10年ごとに改定される学習指導要領でも、その時代で求められる子ども像や将来必要とされる資質能力の考え方や育成の方法も変わってきています。授業のかたちはそのような内と外の両面の要請で変わらざるを得ない状況にあるといえます。

しかし現場では、自分の授業のかたちを変えようとしない、あるいは変えられない教師の姿をよく見かけます。教育では「不易」と「流行」という言葉があるように、「変えない」部分と「変える」部分のバランスが大切です。

〈 授業改善に向けてのポイント 〉

① 今の自分の授業を客観的に振り返る。まずは、授業診断票で自己診断を行い、協力が得られれば管理職やほかの教員による授業診断、児童生徒対象の授業に関するアンケートの実施などを推奨

② 今の教育課題を踏まえ、自分の理想とする授業とは何かをイメージ

③ そのイメージの実現に向け、何から取り組むか考える。ToDoリストに整理

④ ほかの人の授業を参観したり、研究授業に進んで挑戦したりする

MEMO

4

診断票の活用方法とつくり方

How to use and make
the class evaluation lists

4-1 授業改善に繋げる診断票の活用

この診断票の特徴を簡単に整理すると、

❶ 授業を通して児童生徒の成長を引き出すことのできる教員の共通した行動特性（コンピテンシー）についてまとめたものである。

❷ 年度当初、中間期、年度末期と学校の流れに沿って整理したものである。

❸ 中間期では、1単位時間の授業の展開のしかたや授業全体を通した教師の特性や指導技術について整理されている。

といった特徴が挙げられます。

また、各項目は教科の内容には踏み込まずに、教師として身につけたい共通の基礎的・基本的な事項についてとりあげています。主に教師の児童生徒への働きかけや特性（T）の内容を中心にまとめていますが、教師の働きかけが見えにくいような場面では、授業時間における児童生徒の姿（S）を通して整理されています。

さらに、各項目の診断のレベルについては、A～Eの5段階で表示されています。単にA～Eの段階を評価者の考えや経験で評価するのではなく、各段階に示されている指標を基に具体的な教師の働きかけや児童生徒の姿を勘案し、判断するような仕組みでつくられています。

〈 活用できる場面 〉

本書の授業の観点（診断票）は，いろいろな場面で活用することができます。

① 管理職による授業観察

学校及び管理職の求める授業改善のポイントを診断票に位置づけることで、管理職と教師の間で改善点や課題を共有することができます。また、校長、副校長の間で診断票の突き合わせを行うことによって、診断の偏りを少なくし授業観察の精度を高めることができます。

② 校内研修、研究授業（詳しくは後述）

③ 教員の相互診断及び自己診断

教員の経験によらない指標を基に診断することで、客観的な診断に繋げることができます。

④ 教育実習生の育成プログラム

実習生の指導教員と大学の指導教授との間で実習生の育成に関する指針や方向性を共有でき、今後の指導に生かせる客観的なデータとして提示することができます。

4 - 2　校内研修・研究授業における診断票の活用方法

❶ 校内研修・研究授業における課題

【課題1】「学級の壁」「学年の壁」「校種の壁」「教科の壁」による、課題の明確化・共有化の困難さ

校内研修のテーマ設定としては、小学校における「学級の壁」、中学校・高校では「教科間の壁」があります。また、小中高の連携に関した研究では、文化の違いに代表される「校種間の壁」も課題とされており、研修がうまくまわらない要因になっています。また、取り組むべき課題は共有できても、解決する方法についてはそれぞれの思いや考えもあります。そのため、絞り込みが不十分であったり、具体的な行動に落とし込めていなかったりするなど、全体で意思統一を図ることが難しい状況もあります。

【課題2】教師間における授業公開に対する抵抗感

研究授業では、これまでの研究の成果や取り組みの過程を、授業を通して表現することが求められます。そのため、授業参観者は授業の見取りが大切になってきますが、授業の観察すべきポイントや項目、そしてそれら項目の評価が、その授業参観者の想いや経験に左右されてしまうことがあります。結果、共通の観察スケールが持てず、客観的に視覚化・数値化することが難しいことが課題として挙げられます。

また、自分の授業についてほかの教員から評価されることや、自分の課題を改めて指摘されることに慣れておらず、授業の公開に尻込みしてしまうこともあるでしょう。

【課題3】研究協議の時間の形骸化

研究授業においての協議の時間は、多様な意見を出し合い、研究を深めていく大切な時間です。しかし、言いたいこと・伝えたいことがあっても、授業者への気配りや感謝の気持ちもあり、研究が深まるような話し合いになりにくい面があります。

また、研究協議の実施方法にも問題があります。協議の時間が充分にとれなかったり、全体会が中心の協議会になってしまっては、全員が意見を述べる機会をつくれません。意見を発表する一部の人とその意見を聞く大多数の人とで、協議会への参加意識に差が出てしまうことも、課題の一つに挙げられます。

❷ 課題解決に向けた活用例

上記のような校内研修・研究授業に関する課題に対して、具体的に診断票をどのように活用したら良いか、課題ごとに活用方法を紹介します。

【課題1】「学級の壁」「学年の壁」「校種の壁」「教科の壁」の解消

➡ 目的に応じて診断項目や診断の基準をカスタマイズできる

校内研修・研究授業のねらい・目標から具体的な行動に落とし込む際に、全教職員が取り組むべき課題は何か、課題解決に向けた取り組みの結果、児童生徒がどのように変容し、どのように成長したかを、共通した指標で確認できるようにすることが大切です。

また、その項目や指標は、既成の評価シートをそのまま活用するのではなく、学校や地域の状況、児童生徒の実態にあった診断票にしたいものです。そのために、本書の診断票を参考にして教職員で協議を重ね、校内研修の目的に沿った独自の診断票を作成することで、目指すべき児童生徒の姿や具体的に取り組むべき内容を共有することができるようになり、全教職員が同じ方向性を持って研究に取り組むことができるようになります。

【課題2】教師間における授業公開に対する抵抗感の払拭

➡ 授業診断の客観性が確保できる

授業を見る際に診断票を使うことで、診断項目が統一されます。同時に、診断の基準がより明確にされているため、個人による診断のぶれが少なくなり、見る側・見られる側相互の信頼性が向上します。

さらにこの診断票を基にして、自己診断や他者診断の結果から、自分の現在の状況を客観的に把握することが可能になります。また、自己診断と他者診断の間に乖離がある場合には、その要因がどこにあるかなど分析することで、より深い研修につなげることができます。これまでの評価シートは、教員側の働きかけによる診断が中心でしたが、本書の診断票においては、授業者の働きかけを見取ることが難しい場面では、児童生徒の活動の様子や姿勢・表情などから診断するなど、教師と児童生徒の両方の視点で捉えるようにつくられているので、診断の精度は今まで以上に向上していると考えられます。

【課題3】研究協議の時間の形骸化の解消

➡ フィードバック・フィードフォワードの時間の設定

研究協議の時間を充実した時間にするためには、協議内容が具体的で、参加者にとってわかりやすく、自分にも起こり得る身近なテーマであることが大切です。また、研究協議に参加して、ほかの人たちの取り組みや工夫を知り、自身の授業改善の参考になる、自分も授業で取り組んでみたいと思えるような研究協議の時間にする必要があります。

そのためには、授業の振り返り（フィードバック）が的確であること、そして今後に向けての改善策（フィードフォワード）が具体的であることが大切です。

本書の診断票を基に研究授業を振り返り、改善すべき課題があるならば、さらに一つ上の段階に引き上げるための、手立てや方法について検討してください。どのような教師の働きかけが必要なのか、どのような児童生徒の姿を目指すべきなのか。それらを参加者のなかで共有することができたならば、意義のある研究の時間になるはずです。

できれば、全体協議の目的や効果を踏まえつつ、全員が研究協議に参加できるようなグループによる話し合いの場面を取り入れることで、参加者一人ひとりの当事者意識も高まり、研究協議の時間の活性化が図れると考えます。

❸ 本書の診断票のまとめ

管理職

利点1………校長の経営方針として、授業改善の視点を診断項目に反映することで、教職員に周知徹底を図ることができる

利点2………管理職による授業観察のおりに、診断票を用いることで、客観的な指導に繋げることができる

教職員

利点3………学校全体で診断項目について検討することで，改善するべき課題を共有することができ、取り組むべき目標が明確になる

利点4………診断票を使うことで診断の基準が統一されるため、個人による診断のぶれが少なくなる

利点5………診断票は、各項目の授業担当者としての働きかけのしかた（Tの視点）やクラスの状況や児童生徒の状況（Sの視点）について授業を振り返りながら自己診断できる

利点6………診断結果から明確になった自分の課題を把握し、さらに一つ上の段階に引き上げるための手立てや取り組みについて、具体策を検討することができる

利点7………学校の実情や目的に応じて診断項目や観点をカスタマイズできる

4 - 3　ステップアップへの手立て ～一つ上の段階に引き上げるために

	キー・コンピテンシー	定　義	A
S	授業前着席と 授業準備	授業準備の時間を有効に活用し、教室移動や必要な道具を揃えるなど主体的に授業を受ける準備を整えることができる	授業が開始する前に授業の準備を済ませ、予習復習を行うなど主体的に行動ができる

この項目における評価がB評価～E評価のいずれかの結果であった場合、一つ上の段階にステップアップするためには、教師としてどのような行動を取り、どのように児童生徒に働きかけをすればよいか、具体的な手立てや方法を検討する必要があります。個人やグループで考えたり、話し合ったりして、一つ上の段階を目標に取り組むことは大切なことです。

以下に、その手立てとなる行動の一例を紹介します。

(1) E評価 → D評価にステップアップするために

- 休み時間のうちから教師が教室にいて児童生徒を観察する
- 指示の徹底／促しの声かけ（「1分前だよ」など）を行う
- できている児童生徒の承認を行う
- 「チャイムの前に着席し、準備をする」ことの意味や目的の伝達を行う
- 理想の状態をルールとし、イメージさせる → 全員に体験させて、確認・共有する
- 号令をかける前に指示／指導を行う

など

〈事例〉授業前着席と授業準備について

B	C	D	E
授業が開始する前に授業の準備を済ませ、静かに着席して待つことができる	授業が開始する前に着席したが、授業の準備ができていない	授業の開始時間になってから着席し、授業の準備を始めている	授業の開始時間になっても席につかず、授業の準備もできていない

(2) D評価 → C評価にステップアップするために

- 経過の承認を行い、足りない部分を考えさせる／指示する
- クラス委員や号令係に指示を出させる
- 時間意識の伝達を行う
- 理想の状態を再度確認する
- E評価 → D評価と同じ行動

など

(3) C評価 → B評価にステップアップするために

- レディネス（準備／環境づくり）の確認を行う
- もう少しでステップアップできることを伝え、声かけ・励ましを行う
- D評価 → C評価と同じ行動

など

(4) B評価 → A評価にステップアップするために

- 事前課題や授業冒頭小テスト等の工夫で授業前に考える習慣をつくる

など

4-4 診断票のつくり方と留意事項

❶ フォーマット

本書では、診断票の具体的な参考例として、サンプル①（横型）、サンプル②（縦型）、サンプル③（横分離型）、サンプル④（簡易版1）、サンプル⑤（簡易版2）の5パターン用意しました。ここに挙げた5つのサンプルは、あくまでも診断票をイメージしていただくための参考例です。

診断票の作成については、重点的に見ていきたい診断項目を事前に選択し、各項目の評価段階（3～5段階）を決めるなど、目的に応じてカスタマイズすることを基本としています。

❷ サンプルそれぞれの特徴

	診断項目数	診断票の構成	メリット・デメリット
サンプル① （横型）	5段階表示で最大25項目	授業展開に 沿った型	●5段階評価がそのまま使える ●評価の精度が安定する ●文字が小さく読みづらい
サンプル② （縦型）			
サンプル③ （横分離型）		授業展開と 授業者の特性を 分離した型	
サンプル④ （簡易版1）	3段階表示で18項目 ※1項目表示で6項目	授業展開に 沿った型	●文字が大きく読みやすい ●5段階評価を3～4段階に修正する作業が必要 ●評価の精度が不安定
サンプル⑤ （簡易版2）	記述式で6項目 3～4段階表示で16項目 ※1項目表示で8項目		

5段階表示

号令・ 開始の あいさつ	主体的に あいさつを することが できる	注意や指示が なくても けじめのある あいさつができる	注意や指示が なくても 普通にあいさつが できる	注意や指示が あれば 普通にあいさつが できる	あいさつが できない

4段階表示

目線・ 気づき	常に全体を見渡し、 一人ひとりの状況を 把握している	概ね全体を見て いるが、児童生徒の 全体の状況が 把握できていない	目線が一部に限られ、 児童生徒の全体の状況 が把握できていない	ほぼ 児童生徒を 見ていない

3段階表示

始業前着席	授業が始まる前に準備を済ませ、予習・復習を行うなど主体的に行動ができる	授業が始まる前に着席したが、授業の準備ができていない	授業の開始時間になっても着席せず、授業の準備もできていない

※1項目（3段階）表示

発声・口調	声の大きさ A・B・C	滑舌・語尾 A・B・C	話すスピード A・B・C	抑揚・リズム A・B・C

診断票の印字のサイズは、A3またはA4の用紙を使用することを想定しています。A3だと見やすいですが、診断項目がA4の2枚分になるので、項目を探す不便さがあります。

A4だと診断用紙が1枚に納まりますが、字が小さい分、読みにくさがあります。診断の項目数は最大25項目位が限度です。どの項目を選択するのかの絞り込みについては、十分な協議が必要です。授業改善の第一歩は、診断票の作成から始まります。

❸ 診断票利用に当たっての留意事項

(1) 初めて診断票を使う際には、あらかじめ本書の「診断項目の定義」「A～Eの評価段階の内容」をよく読んで概略を頭に入れておくことをお薦めします。

(2) 診断票による授業診断は「慣れ」が必要です。初回は診断票の項目が頭に入っていないため、診断票を見ながらの授業観察（評価基準と照合しながら診断項目を分析する作業）を難しく感じる人がほとんどだと思います。診断結果が安定するまでに少なくとも5回ほどは、同じ診断票での診断を重ねる必要があります。同じ診断票での診断を何度も重ねるうちに、A～E評価のどこに位置するのかわかるようになってきます。繰り返しになりますが、何度も使用してはじめて、効果が発揮されるものです。また、可能であれば、同じ授業を同じ診断票で観察した別の人と診断のすり合わせを行うことをお薦めいたします。

(3) 診断のポイントは、最初に「A」と「E」の評価段階を確認して、評価の振れ幅を頭に入れた上で、中央の「C」の内容を確認します。そうすることで、評価基準の全体像が把握でき、「B」「D」の評価がイメージしやすくなります。

(4) 診断票の作成にあたっては、学校や教職員の想い、児童生徒の実態を踏まえ、十分な協議の上で、学校独自の診断票を作成することをお薦めします。

MEMO

5

診断票のサンプル

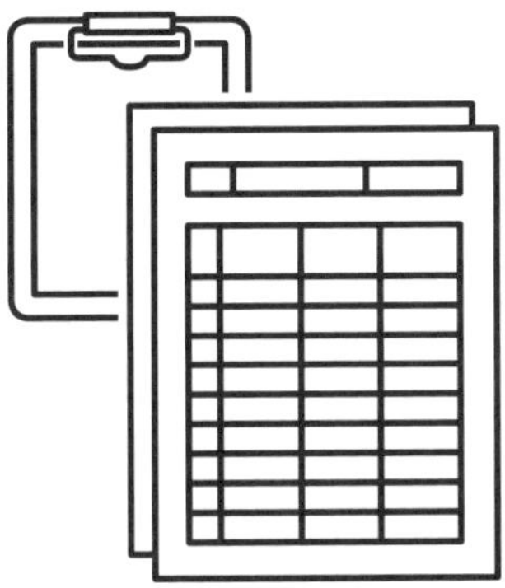

Sample of evaluation lists

授業診断票サンプル❶ 横型

月　日（　）

実施クラス	教科	授業者氏名	評価者名
年　組 全体・少人数			

		A	B	C	D	E
授業の開始	授業前着席と授業の準備	授業が開始する前に、授業の準備を済ませ、予習復習を行うなど主体的に行動ができる	授業が開始する前に、授業の準備を済ませ、静かに着席して待つことができる	授業が開始する前に着席したが、授業の準備ができていない	授業の開始時間になってから着席し、授業の準備を始めている	授業の開始時間になっても席につかず、授業の準備もできていない
授業の開始	号令・開始のあいさつ	主体的にあいさつをすることができる	注意や指示がなくても、けじめのあるあいさつができる	注意や指示がなくても普通にあいさつができる	注意や指示があれば普通にあいさつができる	あいさつができない
導入	めあての提示	児童生徒が自分の言葉で表現するなど、目的意識を持って授業に臨むことができる		めあてを写しているが、本時の学習の内容の見通しが持てていない		めあてがなく、本時の学習の内容がわからないままに授業を受けている
導入	課題の設定・見通し	本時のねらいや目標に迫る適切な課題を設定し、解決の見通しを持たせ取り組ませている		適切な課題を設定しているが、見通しを持たせられていない	機械的な課題設定で、児童生徒の意欲を引き出すまでに至っていない	課題設定がなく、見通しを持たせられていない
授業者	表情	TPOに合わせた表情ができている		授業規律を重視する余り、厳しい表情が中心となっている	常に柔らかい表情をしているが、必要な場面でも、真剣な表情することがない	常に、無表情であったり、怒ったような表情である
授業者	発声・口調	状況に応じて、音量・声質及び抑揚を変えたりして、メリハリがある		声量は適正で、聞き取れているが、単調で一本調子		滑舌・声の大きさ・早口・語尾の不明瞭等で、聞き取りづらい
授業者	目線・気づき	常に全体を見渡し、一人ひとりの状況を把握している		概ね全体を見ているが、児童生徒の全体の状況が把握できていない	目線が一部に限られ、児童生徒の全体の状況が把握できていない	ほぼ児童生徒を見ていない
展開	自力解決の取り組み	既習事項を活用したり、考えを工夫したりして、課題解決に向けて、主体的に取り組んでいる	児童生徒が、うまく考えをまとめているが、独自の工夫が不足している	児童生徒が、なんとか解決しようとしているが、考えを上手くまとめることができない	児童生徒が自分で考えようとせず、すぐに友だちや先生に聞いている	児童生徒の多くが、自力解決ができず、まったく手がつけられていない
展開	机間指導（自力解決の時間）	常に全体の把握に努め、必要に応じて適切な指示を出している	常に全体の把握に努め、指示を出しているが、適切ではない	個別指導に気を取られ、全体の把握が不十分で、時間をもてあましている児童生徒がいることに気がつかない	目的がなく（目的が見えず）、学級全体をただ回っている	必要な机間指導がない
指導技術	指示の徹底	指示を出したら、全員が指示通り行動したかを毎回確認している		教師が指示を出し、概ね揃ったところで、次の指示を出している	指示を出しても、確認せずに、次の指示を出している	必要な指示が出されていない
指導技術	指名のタイミング	発問の後、十分に時間をとり、学習効果を考えて指名している	発問の後、十分に時間をとっているが、意図なく指名している	発問の後、考えさせずに、すぐ指名している	常に発問の前に指名している	考えさせる発問がない
指導技術	発問の内容	児童生徒の発言に対して、なぜ？ どうして？ この場合はどう？ 等の追加質問で、考えを深めようとしている		教師が、なぜ？ どうして？ の部分を含め説明してしまっている	児童生徒の発言をそのまま受け止め、深めないまま授業を進めている	考えさせる発問がない
指導技術	発問の活用	児童生徒の発言をまとめ、全体に共有・活用している	児童生徒の発言をまとめ、一部と共有している	児童生徒の発言をまとめてはいるが、共有になっていない	児童生徒の発言をまとめていない	発問がない

		A	B	C	D	E
指導技術	説明力（プレゼンテーション）	児童生徒の不明瞭なところを把握し、簡潔に、わかりやすく、説明することができる		わかりやすく説明しようとしているが、児童生徒がつまずいているポイントとずれている		児童生徒がかえって混乱するような説明になっている
	引きだす力（ファシリテーション）	発問、投げかけ、助言、承認等を駆使して、児童生徒の考えを十分に引き出し、授業を活性化させている		発問、投げかけ、助言、承認等をしているが、児童生徒の考えを十分に引き出せていない	児童生徒の考えを引き出し、活性化させる発問、投げかけ、助言、承認が少ない	児童生徒の考えを引き出し、活性化させる発問、投げかけ、助言、承認がない
	板書スキル	板書事項が、そのまま学習の流れを的確に表し、振り返り（復習）のしやすい内容になっている		授業者の板書のルールが明確で、わかりやすいが、復習に必要な情報が不足している	板書の内容は、授業の流れに沿っているが、整理のしかたが不十分で、板書のルールがわかりづらい	板書の内容が、授業の流れを示しておらず、整理がされていない。板書のルールもない
	児童生徒への関与	適切な関与によって、児童生徒が前向きに授業に取り組むことができる		関与はあるが、児童生徒の改善につながっていない		必要な関与がほぼない
学習活動	話し合い活動	話し合いが積極的に行われるなかで、自他の理解が深まり学びが深まる話し合いになっている		話し合いが行われているが、質問も確認もなく、深まりのない話し合いになっている	話し合いの目的がはっきりせず、ルールも不十分なため、話し合いの参加に偏りがある	話し合い活動ができていない
	机間指導（話し合い活動）	児童生徒の主体性を尊重して、班への関与を最小限に留めながら、子どもたちの主体的な活動を引き出している		教師が児童生徒の解決を待てず、早期に関与することで、主体的な活動の妨げになっている	教師が班の活動に関与しすぎて、教師の指示やヒントを待つなど教師に頼りがちな活動になっている	話し合い活動ができていないのに、指示やヒントを出すなどの関与をしていない
指導技術	教材・教具の活用	準備した教材・教具を有効に活用し、児童生徒の意欲を引き出し、理解を深めている		準備した教材・教具を活用し、児童生徒の意欲を引き出しているが、理解を深めるには至っていない	準備した教材・教具を活かせず、児童生徒の意欲を引き出し、理解を深めるに至っていない	意欲を引き出し、理解を深めるための教材・教具が不足している
	時間管理（活動時間の設定）	適切な時間設定をすることで、作業効率を上げ、時間配分を意識させる中、集中して取り組む状況をつくっている		適切な時間設定であるが、指示が不十分なため丁寧さや正確さに欠ける状況が見られる	時間設定はしているが、過不足があり、時間をもてあます、もしくは、やり終えない児童生徒が多くいる	時間設定がないので、のんびりし過ぎたり、集中力に欠けたりする児童生徒が多くいる
まとめ	まとめ（整理する活動）	児童生徒が、本時に学習した内容を振り返り、学習のポイントを整理し、復習しやすい内容になっている		児童生徒がまとめているが、本時の学習を整理したものになっていない		児童生徒がまとめをすることなく、授業が終了している
そのほか	学習指導案	学習のねらいを達成するために、児童生徒の意欲的で、主体的な活動を引き出すことができる計画になっている	学習のねらいを達成するための創意工夫がなされており、児童生徒の実態にあった計画になっている	目的やねらいは理解されてはいるが、創意工夫の見られない計画になっている	目的やねらいの理解が不十分で、児童生徒の実態に合った計画になっていない	指導案の準備がなされず、そもそも計画がない
	授業ルールの完成度	教師が注意・声かけしなくても自然にルールが実行されている	教師の簡易な声かけで、望ましい状態に戻ることができる	教師の簡易な注意喚起で、望ましい状態に戻ることができる	教師が強く注意することで、望ましい状態がつくれる	教師が強く注意しても、ルールが機能していない
	教師と児童生徒の関係	児童生徒が教師の想いを理解した上で、主体的に協力し合い、行動している	教師との良好な人間関係が維持されているが、まだ教師主体である	教師の発言や指導に対して、素直に受け入れているが、主体性が見られない	教師に対して、表だった反発はしないが、教師の発言や、指導を受け入れていない	教師に対して、揚げ足をとるなどの批判的な言動が見られる

授業者の強み&メモ	

授業診断票サンプル❷ 縦型

月　日(　)

実施クラス	教科	授業者氏名	評価者名
年　組 全体・少人数			

		A	B	C	D	E
授業の開始	授業前着席と授業の準備	授業が開始する前に、授業の準備を済ませ、予習復習を行うなど主体的に行動ができる	授業が開始する前に、授業の準備を済ませ、静かに着席して待つことができる	授業が開始する前に着席したが、授業の準備ができていない	授業の開始時間になってから着席し、授業の準備を始めている	授業の開始時間になっても席につかず、授業の準備もできていない
	号令・開始のあいさつ	主体的にあいさつをすることができる	注意や指示がなくても、けじめのあるあいさつができる	注意や指示がなくても普通にあいさつができる	注意や指示があれば普通にあいさつができる	あいさつができない
導入	めあての提示	児童生徒が自分の言葉で表現するなど、目的意識を持って授業に臨むことができる		めあてを写しているが、本時の学習の内容の見通しが持てていない		めあてがなく、本時の学習の内容がわからないままに授業を受けている
	課題の設定・見通し	本時のねらいや目標に迫る適切な課題を設定し、解決の見通しを持たせ取り組ませている		適切な課題を設定しているが、見通しを持たせられていない	機械的な課題設定で、児童生徒の意欲を引き出すまでに至っていない	課題設定がなく、見通しを持たせられていない
授業者	表情	TPOに合わせた表情ができている		授業規律を重視するあまり、厳しい表情が中心となっている	常に柔らかい表情をしているが、必要な場面でも、真剣な表情することがない	常に、無表情であったり、怒ったような表情である
	発声・口調	状況に応じて、音量・声質及び抑揚を変えたりして、メリハリがある		声量は適正で、聞き取れているが、単調で一本調子		滑舌・声の大きさ・早口・語尾の不明瞭等で、聞き取りづらい
	目線・気づき	常に全体を見渡し、一人ひとりの状況を把握している		概ね全体を見ているが、児童生徒の全体の状況が把握できていない	目線が一部に限られ、児童生徒の全体の状況が把握できていない	ほぼ児童生徒を見ていない
展開	自力解決の取り組み	既習事項を活用したり、考えを工夫したりして、課題解決に向けて、主体的に取り組んでいる	児童生徒が、うまく考えをまとめているが、独自の工夫が不足している	児童生徒が、なんとか解決しようとしているが、考えを上手くまとめることができない	児童生徒が自分で考えようとせず、すぐに友だちや先生に聞いている	児童生徒の多くが、自力解決ができず、まったく手がつけられていない
	机間指導（自力解決の時間）	常に全体の把握に努め、必要に応じて適切な指示を出している	常に全体の把握に努め、指示を出しているが、適切ではない	個別指導に気を取られ、全体の把握が不十分で、時間をもてあましている児童生徒がいることに気がつかない	目的がなく（目的が見えず）、学級全体をただ回っている	必要な机間指導がない
指導	指示の徹底	指示を出したら、全員が指示通り行動したかを毎回確認している		教師が指示を出し、概ね揃ったところで、次の指示を出している	指示を出しても、確認せずに、次の指示を出している	必要な指示が出されていない
	指名のタイミング	発問の後、十分に時間をとり、学習効果を考えて指名している	発問の後、十分に時間をとっているが、意図なく指名している	発問の後、考えさせずに、すぐ指名している	常に発問の前に指名している	考えさせる発問がない

技術	発問の内容	児童生徒の発言に対して、なぜ？ どうして？ この場合はどう？ 等の追加質問で、考えを深めようとしている		教師が、なぜ？ どうして？ の部分を含め説明してしまっている	児童生徒の発言をそのまま受け止め、深めないまま授業を進めている	考えさせる発問がない
	発問の活用	児童生徒の発言をまとめ、全体に共有・活用している	児童生徒の発言をまとめ、一部と共有している	児童生徒の発言をまとめてはいるが、共有になっていない	児童生徒の発言をまとめていない	発問がない
指導技術	説明力（プレゼンテーション）	児童生徒の不明瞭なところを把握し、簡潔に、わかりやすく、説明することができる		わかりやすく説明しようとしているが、児童生徒がつまずいているポイントとずれている		児童生徒がかえって混乱するような説明になっている
	引きだす力（ファシリテーション）	発問、投げかけ、助言、承認等を駆使して、児童生徒の考えを十分に引き出し、授業を活性化させている		発問、投げかけ、助言、承認等をしているが、児童生徒の考えを十分に引き出せていない	児童生徒の考えを引き出し、活性化させる発問、投げかけ、助言、承認が少ない	児童生徒の考えを引き出し、活性化させる発問、投げかけ、助言、承認がない
	板書スキル	板書事項が、そのまま学習の流れを的確に表し、振り返り（復習）のしやすい内容になっている		授業者の板書のルールが明確で、わかりやすいが、復習に必要な情報が不足している	板書の内容は、授業の流れに沿っているが、整理のしかたが不十分で、板書のルールがわかりづらい	板書の内容が、授業の流れを示しておらず、整理がされていない。板書のルールもない
	児童生徒への関与	適切な関与によって、児童生徒が前向きに授業に取り組むことができる		関与はあるが、児童生徒の改善につながっていない		必要な関与がほぼない
学習活動	話し合い活動	話し合いが積極的に行われるなかで、自他の理解が深まり学びが深まる話し合いになっている		話し合いが行われているが、質問も確認もなく、深まりの無い話し合いになっている	話し合いの目的がはっきりせず、ルールも不十分なため、話し合いの参加にかたよりがある	話し合い活動ができていない
	机間指導（話し合い活動）	児童生徒の主体性を尊重して、班への関与を最小限に留めながら、子どもたちの主体的な活動を引き出している		教師が児童生徒の解決を待てず、早期に関与することで、主体的な活動の妨げになっている	教師が班の活動に関与しすぎて、教師の指示やヒントを待つなど教師に頼りがちな活動になっている	話し合い活動ができていないのに、指示やヒントを出すなどの関与をしていない
指導技術	教材・教具の活用	準備した教材・教具を有効に活用し、児童生徒の意欲を引き出し、理解を深めている		準備した教材・教具を活用し、児童生徒の意欲を引き出しているが、理解を深めるには至っていない	準備した教材・教具を活かせず、児童生徒の意欲を引き出し、理解を深めるに至っていない	意欲を引き出し、理解を深めるための教材・教具が不足している
	時間管理（活動時間の設定）	適切な時間設定をすることで、作業効率を上げ、時間配分を意識させるなか、集中して取り組む状況をつくっている		適切な時間設定であるが、指示が不十分なため丁寧さや正確さに欠ける状況が見られる	時間設定はしているが、過不足があり、時間をもてあます、もしくは、やり終えない児童生徒が多くいる	時間設定がないので、のんびりし過ぎたり、集中力に欠けたりする児童生徒が多くいる
まとめ	まとめ（整理する活動）	児童生徒が、本時に学習した内容を振り返り、学習のポイントを整理し、復習しやすい内容になっている		児童生徒がまとめているが、本時の学習を整理したものになっていない		児童生徒がまとめをすることなく、授業が終了している
そのほか	学習指導案	学習のねらいを達成するために、児童生徒の意欲的で、主体的な活動を引き出すことができる計画になっている	学習のねらいを達成するための創意工夫がなされており、児童生徒の実態にあった計画になっている	目的やねらいは理解されてはいるが、創意工夫の見られない計画になっている	目的やねらいの理解が不十分で、児童生徒の実態に合った計画になっていない	指導案の準備がなされず、そもそも計画がない
	授業ルールの完成度	教師が注意・声かけしなくても自然にルールが実行されている	教師の簡易な声かけで、望ましい状態に戻ることができる	教師の簡易な注意喚起で、望ましい状態に戻ることができる	教師が強く注意することで、望ましい状態がつくれる	教師が強く注意しても、ルールが機能していない
	教師と児童生徒の関係	児童生徒が教師の想いを理解した上で、主体的に協力し合い、行動している	教師との良好な人間関係が維持されているが、まだ教師主体である	教師の発言や指導に対して、素直に受け入れているが、主体性が見られない	教師に対して、表だった反発はしないが、教師の発言や、指導を受け入れていない	教師に対して、揚げ足をとるなどの批判的な言動が見られる

授業診断票サンプル❸ 横分離型

月　日(　)

実施クラス	教科	授業者氏名	評価者名
年　組 全体・少人数			

		A	B	C	D	E
授業の開始	授業前着席と授業の準備	授業が開始する前に、授業の準備を済ませ、予習復習を行うなど主体的に行動ができる	授業が開始する前に、授業の準備を済ませ、静かに着席して待つことができる	授業が開始する前に着席したが、授業の準備ができていない	授業の開始時間になってから着席し、授業の準備を始めている	授業の開始時間になっても席につかず、授業の準備もできていない
	号令・開始のあいさつ	主体的にあいさつをすることができる	注意や指示がなくても、けじめのあるあいさつができる	注意や指示がなくても普通にあいさつができる	注意や指示があれば普通にあいさつができる	あいさつができない
導入	めあての提示	児童生徒が自分の言葉で表現するなど、目的意識を持って授業に臨むことができる		めあてを写しているが、本時の学習の内容の見通しが持てていない		めあてがなく、本時の学習の内容がわからないままに授業を受けている
	課題の設定・見通し	本時のねらいや目標に迫る適切な課題を設定し、解決の見通しを持たせ取り組ませている		適切な課題を設定しているが、見通しを持たせられていない	機械的な課題設定で、児童生徒の意欲を引き出すまでに至っていない	課題設定がなく、見通しを持たせられていない
展開	自力解決の取り組み	既習事項を活用したり、考えを工夫したりして、課題解決に向けて、主体的に取り組んでいる	児童生徒が、うまく考えをまとめているが、独自の工夫が不足している	児童生徒が、何とか解決しようとしているが、考えを上手くまとめることができない	児童生徒が自分で考えようとせず、すぐに友だちや先生に聞いている	児童生徒の多くが、自力解決ができず、まったく手がつけられていない
	机間指導(自力解決の時間)	常に全体の把握に努め、必要に応じて適切な指示を出している	常に全体の把握に努め、指示を出しているが、適切ではない	個別指導に気を取られ、全体の把握が不十分で、時間をもてあましている児童生徒がいることに気がつかない	目的がなく(目的が見えず)、学級全体をただ回っている	必要な机間指導がない
学習活動	話し合い活動	話し合いが積極的に行われるなかで、自他の理解が深まり学びが深まる話し合いになっている		話し合いが行われているが、質問も確認もなく、深まりのない話し合いになっている	話し合いの目的がはっきりせず、ルールも不十分なため、話し合いの参加に偏りがある	話し合い活動ができていない
	机間指導(話し合い活動)	児童生徒の主体性を尊重して、班への関与を最小限に留めながら、子どもたちの主体的な活動を引き出している		教師が児童生徒の解決を待てず、早期に関与することで、主体的な活動の妨げになっている	教師が班の活動に関与しすぎて、教師の指示やヒントを待つなど教師に頼りがちな活動になっている	話し合い活動ができていないのに、指示やヒントを出すなどの関与をしていない
まとめ	まとめ(整理する活動)	児童生徒が、本時に学習した内容を振り返り、学習のポイントを整理し、復習しやすい内容になっている		児童生徒がまとめているが、本時の学習を整理したものになっていない		児童生徒がまとめをすることなく、授業が終了している。
そのほか	学習指導案	学習のねらいを達成するために、児童生徒の意欲的で、主体的な活動を引き出すことができる計画になっている	学習のねらいを達成するための創意工夫がなされており、児童生徒の実態にあった計画になっている	目的やねらいは理解されてはいるが、創意工夫の見られない計画になっている	目的やねらいの理解が不十分で、児童生徒の実態に合った計画になっていない	指導案の準備がなされず、そもそも計画がない
	授業ルールの完成度	教師が注意・声かけしなくても自然にルールが実行されている	教師の簡易な声かけで、望ましい状態に戻ることができる	教師の簡易な注意喚起で、望ましい状態に戻ることができる	教師が強く注意することで、望ましい状態がつくれる	教師が強く注意しても、ルールが機能していない
	教師と児童生徒の関係	児童生徒が教師の想いを理解した上で、主体的に協力し合い、行動している	教師との良好な人間関係が維持されているが、まだ教師主体である	教師の発言や指導に対して、素直に受け入れているが、主体性が見られない	教師に対して、表だった反発はしないが、教師の発言や、指導を受け入れていない	教師に対して、揚げ足をとるなどの批判的な言動が見られる

		A	B	C	D	E
授業者	表情	TPOに合わせた表情ができている。		授業規律を重視する余り、厳しい表情が中心となっている	常に柔らかい表情をしているが、必要な場面でも、真剣な表情することがない	常に、無表情であったり、怒った様な表情である。
	発声・口調	状況に応じて、音量・声質及び抑揚を変えたりして、メリハリがある		声量は適正で、聞き取れているが、単調で一本調子		滑舌・声の大きさ・早口・語尾の不明瞭等で、聞き取りづらい
	目線・気づき	常に全体を見渡し、一人ひとりの状況を把握している		概ね全体を見ているが、児童生徒の全体の状況が把握できていない	目線が一部に限られ、児童生徒の全体の状況が把握できていない	ほぼ児童生徒を見ていない
指導技術	指示の徹底	指示を出したら、全員が指示通り行動したかを毎回確認している		教師が指示を出し、概ね揃ったところで、次の指示を出している	指示を出しても、確認せずに、次の指示を出している	必要な指示が出されていない
	指名のタイミング	発問の後、十分に時間をとり、学習効果を考えて指名している	発問の後、十分に時間をとっているが、意図なく指名している	発問の後、考えさせずに、すぐ指名している	常に発問の前に指名している	考えさせる発問がない
	発問の内容	児童生徒の発言に対して、なぜ？ どうして？ この場合はどう？ 等の追加質問で、考えを深めようとしている		教師が、なぜ？ どうして？ の部分を含め説明してしまっている	児童生徒の発言をそのまま受け止め、深めないまま授業を進めている	考えさせる発問がない
	発問の活用	児童生徒の発言をまとめ、全体に共有・活用している	児童生徒の発言をまとめ、一部と共有している	児童生徒の発言をまとめてはいるが、共有になっていない	児童生徒の発言をまとめていない	発問がない
指導技術	説明力（プレゼンテーション）	児童生徒の不明瞭なところを把握し、簡潔に、わかりやすく、説明することができる		わかりやすく説明しようとしているが、児童生徒がつまずいているポイントとずれている		児童生徒がかえって混乱するような説明になっている
	引きだす力（ファシリテーション）	発問、投げかけ、助言、承認等を駆使して、児童生徒の考えを十分に引き出し、授業を活性化させている		発問、投げかけ、助言、承認等をしているが、児童生徒の考えを十分に引き出せていない	児童生徒の考えを引き出し、活性化させる発問、投げかけ、助言、承認が少ない	児童生徒の考えを引き出し、活性化させる発問、投げかけ、助言、承認がない
	板書スキル	板書事項が、そのまま学習の流れを的確に表し、振り返り（復習）のしやすい内容になっている		授業者の板書のルールが明確で、わかりやすいが、復習に必要な情報が不足している	板書の内容は、授業の流れに沿っているが、整理のしかたが不十分で、板書のルールがわかりづらい	板書の内容が、授業の流れを示しておらず、整理がされていない。板書のルールもない
	児童生徒への関与	適切な関与によって、児童生徒が前向きに授業に取り組むことができる		関与はあるが、児童生徒の改善につながっていない		必要な関与がほぼない
指導技術	教材・教具の活用	準備した教材・教具を有効に活用し、児童生徒の意欲を引き出し、理解を深めている		準備した教材・教具を活用し、児童生徒の意欲を引き出しているが、理解を深めるには至っていない	準備した教材・教具を活かせず、児童生徒の意欲を引き出し、理解を深めるに至っていない	意欲を引き出し、理解を深めるための教材・教具が不足している
	時間管理（活動時間の設定）	適切な時間設定をすることで、作業効率を上げ、時間配分を意識させる中、集中して取り組む状況をつくっている		適切な時間設定であるが、指示が不十分なため丁寧さや正確さに欠ける状況が見られる	時間設定はしているが、過不足があり、時間をもてあます、もしくは、やり終えない児童生徒が多くいる	時間設定がないので、のんびりし過ぎたり、集中力に欠けたりする児童生徒が多くいる

授業診断票サンプル❹ 簡易版(1)

月　日(　)

実施クラス	教科	授業者氏名	評価者名
年　組 全体・少人数			

重点項目	児童・生徒の姿	学級全体が意欲的で進んで学習に取り組もうとしている	静かに授業を受けているが、消極的である	授業に関心が持てず、関係ない言動が多く見られる

授業開始	号令・開始のあいさつ	主体的にあいさつをすることができる	注意や指示がなくても普通にあいさつができる	あいさつができない
導入	めあての提示	児童生徒が自分の言葉で表現するなど、目的意識を持って授業に臨むことができる	めあてを写しているが、本時の学習の内容の見通しが持てていない	めあてがなく、本時の学習の内容がわからないままに授業を受けている
授業者	目線・気づき	常に全体を見渡し、一人ひとりの状況を把握している	概ね全体を見ているが、児童生徒の全体の状況が把握できていない	ほぼ児童生徒を見ていない
	発声・口調	状況に応じて、音量・声質及び抑揚を変えたりして、メリハリがある	声量は適正で、聞き取れているが、単調で一本調子	滑舌・声の大きさ・早口・語尾の不明瞭等で、聞き取りづらい
	体の向き	児童生徒に安心感を持たせ、熱意や意欲を示す体の向きである	概ね正対しているが、板書やICT機器などのツールを使う際には正対していないことが多い	児童生徒に体を向け正対することがほぼ見られない
指導技術	児童生徒への関与	適切な関与によって、児童生徒が前向きに授業に取り組むことができる	関与はあるが、児童生徒の改善につながっていない	必要な関与がほぼない
	指示の徹底	指示を出したら、全員が指示通り行動したかを毎回確認している	教師が指示を出し、概ね揃ったところで、次の指示を出している	必要な指示が出されていない
	指名のタイミング	発問の後、十分に時間をとり、学習効果を考えて指名している	発問のあと、考えさせずに、すぐ指名している	考えさせる発問がない
	発問の内容	児童生徒の発言に対して、なぜ？ どうして？ この場合はどう？等の追加質問で、考えを深めようとしている	教師が、なぜ？ どうして？ の部分を含め説明してしまっている	考えさせる発問がない

指導技術	発問の活用	児童生徒の発言をまとめ、全体に共有・活用している	児童生徒の発言をまとめてはいるが、共有になっていない	発問がない
	板書スキル	板書事項が、そのまま学習の流れを的確に表し、振り返り（復習）のしやすい内容になっている	授業者の板書のルールが明確で、わかりやすいが、復習に必要な情報が不足している	板書の内容が、授業の流れを示しておらず、整理がされていない。板書のルールもない
	机間指導	常に全体の把握に努め、必要に応じて適切な指示を出している	個別指導に気を取られ、全体の把握が不十分で生徒の状況が把握できていない	必要な机間指導がない
学習活動	学習指導案	学習のねらいを達成するために、児童生徒の意欲的で、主体的な活動を引き出すことができる計画になっている	目的やねらいは理解されてはいるが、創意工夫の見られない計画になっている	指導案の準備がなされず、そもそも計画がない
	児童・生徒の活動	既習事項をもとに、自力解決をする時間を設定している A・B・C	話し合い、学び合う活動を取り入れている A・B・C	発表し合う活動を取り入れている A・B・C
		学習の内容、ねらいに即した学習形態を選択している A・B・C	学習の内容、ねらいに合った教材・教具が準備されている A・B・C	ICTの特性を活かした活動を取り入れている A・B・C
終了	まとめ	児童生徒が、本時に学習した内容を振り返り、学習のポイントを整理し、復習しやすい内容になっている	児童生徒がまとめているが、本時の学習を整理したものになっていない	児童生徒がまとめをすることなく、授業が終了している
そのほか	課題意識	学校及び自分の目指すべき児童生徒像が整理され、自分が取り組むべき課題も明確になっている	学校の育てたい児童生徒像と自分の目指すべき児童生徒像は定まっているが、整合性がとれていない	自分の目指すべき児童生徒像が定まらず、課題も明確になっていない
	人間関係リレーション	児童生徒が教師の想いを理解した上で、主体的に協力し合い、行動している	教師の発言や指導に対して、素直に受け入れているが、主体性が見られない	教師に対して、揚げ足をとるなどの批判的な言動が見られる
	授業ルールの完成度	教師が注意・声かけしなくても自然にルールが実行されている	教師の簡易な注意喚起で、望ましい状態に戻ることができる	教師が強く注意しても、ルールが機能していない
教師としての強み				

授業診断票サンプル❺ 簡易版（2）

月　日（　）

氏名	所属	年組
	校	

教科	／（　）	評価者名

授業前	教室環境	清掃状況			
		机の並び			
		掲示物			
	授業準備	必要な学習用具が準備できている	全員	1名～2名	3名以上
		授業に不必要なものがしまわれている	全員	1名～2名	3名以上
授業開始	始業前着席	授業が始まる前に、準備を済ませ、予習復習を行うなど主体的に行動ができる	授業が始まる前に着席したが、授業の準備ができていない	授業の開始時間になっても席につかず、授業の準備もできていない	
	号令・開始のあいさつ	主体的にあいさつをすることができる	注意や指示がなくても普通にあいさつができる	あいさつができない	
導入	めあての提示	児童生徒が自分の言葉で表現するなど、目的意識を持って授業に臨むことができる	めあてを写しているが、本時の学習の内容の見通しが持てていない	めあてがなく、本時の学習の内容がわからないままに授業を受けている	
授業者の特性	表情	TPOに合わせた表情ができている	授業規律を重視するあまり、厳しい表情が中心となっている	常に柔らかい表情をしているが、必要な場面でも、真剣な表情することがない	常に、無表情であったり、怒ったような表情である
	目線・気づき	常に全体を見渡し、一人ひとりの状況を把握している	概ね全体を見ているが、児童生徒の全体の状況が把握できていない	目線が一部に限られ、児童生徒の全体の状況が把握できていない	ほぼ児童生徒を見ていない
	発声・口調	聞き取りやすさ（声の大きさ） A・B・C	聞き取りやすさ（滑舌・語尾） A・B・C	話すスピード A・B・C	抑揚・リズム A・B・C
指導技術	児童生徒への関与	適切な関与によって、児童生徒が前向きに授業に取り組むことができる	関与はあるが、児童生徒の改善につながっていない	必要な関与はあるが不充分	必要な関与がほぼない
	指示の徹底	指示を出したら、全員が指示通り行動したかを毎回確認している	指示を出したあと、概ね揃ったところで、次の指示を出している	指示を出しても、確認せずに、次の指示を出している	必要な指示が出されていない

指導技術	指名のタイミング	発問の後、十分に時間をとり、学習効果を考えて指名している	発問のあと、考えさせずに、すぐ指名している	常に発問の前に指名している	、考えさせる発問がない
	指名の偏り	発問の内容を踏まえ、全体から指名できるよう配慮している	指名に偏りはなく、半数位を範囲に指名している	一部の児童生徒を指名して授業を進めている	発問がない
	発問の活用	児童生徒の発言をまとめ、全体に共有・活用している	児童生徒の発言をまとめてはいるが、共有になっていない	児童生徒の発言をまとめていない	発問がない
	板書スキル	板書事項が、そのまま学習の流れを的確に表し、振り返り（復習）のしやすい内容になっている	授業者の板書のルールが明確で、わかりやすいが、復習に必要な情報が不足している	板書の内容は、授業の流れに沿っているが、整理の仕方が不十分で、板書のルールがわかりづらい	板書の内容が、授業の流れを示しておらず、整理がされていない。板書のルールもない
学習活動	学習指導案	学習のねらいを達成するために、児童生徒の意欲的で、主体的な活動を引き出すことができる計画になっている	学習のねらいを達成するための創意工夫がなされており、児童生徒の実態に合った計画になっている	目的やねらいは理解されてはいるが、創意工夫の見られない計画になっている	指導案の準備がなされず、そもそも計画がない
	学習活動	既習事項を活かして課題解決に向け、主体的に取り組んでいる A・B・C	調べたり、考えたり、書いたりする活動がある A・B・C	話し合い、学び合う活動を通して自他の理解が深まっている A・B・C	発表し合う活動がある A・B・C
	時間管理	適切な時間設定をすることで、作業効率を上げ、時間配分を意識させるなか、集中して取り組む状況をつくっている	適切な時間設定であるが、指示が不十分なため丁寧さや正確さに欠ける状況が見られる	時間設定はしているが、過不足があり、時間をもてあます、もしくは、やり終えない児童生徒が多くいる	時間設定がないので、のんびりし過ぎたり、集中力に欠けたりする児童生徒が多くいる
まとめ	まとめ	児童生徒が主体で授業のまとめを行っている	授業のまとめが明確で、わかりやすい	授業のまとめはあるが、不明確	授業のまとめがないまま、授業が終了している
そのほか	〈リレーション〉 〈授業規律・ルール〉 〈教材・教具の活用〉				
教師としての強み					

MEMO

6

授業研修実践例

Examples of calssroom
training practices

6-1　授業改善研修の実践方法例

これまで10数年に渡って、小中高教員（国公立私立問わず）を対象として年間400程度の授業観察を行ってきました。そのうち、同じ年度に授業観察を2回以上行った教員のなかから、1回目の授業観察と2回目の授業観察の間にアドバイス及び改善研修を受講した現職教員69名を抽出しました。キャリアは初任者から20年目程度、年齢は20代前半から40代、性別は男女ほぼ同数です（公立小中教員33名・私立中高教員36名。観察教科の統一はなし。実技教科も含む）。

今回、観察＋研修＋観察の実践例を示した理由は、授業研修の効果が発揮できる最低限のサイクルだと考えているからです。

❶ 研修の流れ

(1) 授業観察1 ……………… 当日授業後フィードバック・アドバイス（課題の把握と共有）
(2) 研修・トレーニング …． 講座と実技演習・グループディスカッション（知識理解と改善点の確認）
(3) 授業観察2 ……………… 当日授業後フィードバック・アドバイス（研修成果の確認と今後に向けて）

※学校によっては児童生徒への授業アンケートも実施しました。

❷ 授業観察の方法

授業開始数分前から授業終了まですべてを観察します。
授業のポイントとなる場面を10分から15分ほどビデオ撮影し、授業後のフィードバックの時間に授業者と一緒に録画映像を確認しながらポイントのアドバイスを行います。

❸ 研修・トレーニングの内容

- 授業効率・効果を高める授業準備と授業構成
- 伝える力を高めるプレゼンテーション
- 思考力を鍛える発問
- 学習効果を高めるAL（アクティブラーニング）型授業法
- グループワークを活性化させるファシリテーター技術

など

❹ 実践結果

研修受講者の授業観察における診断票の結果を比較すると、69名中65名の受講者で第2回の結果が第1回の結果を上回り、研修を通して授業力の向上が図られたことを確認することができました。

6-2 授業研修を振り返って

授業研修において、一定の成果が上げられた要因としては、以下の点が挙げられます。

❶ 授業技術の向上

そもそも授業をする上で必要な指導技術が不足していた（知らなかった／わかっていたが目的や意味を理解していなかった／技術を身につけるトレーニングを実行しなかった）ため、指導技術について正しく理解をし、実行し、身につけたことで授業力が向上したと考えられます。児童生徒が積極的に授業に参加した成功体験は、教師の安心・安定にもつながり、授業力向上の継続という好循環も生み出す結果につながりました。

❷ 教師側の授業改善に対する心構えの変化

キャリア6年未満の教員は、自分の授業に課題があり、改善の必要があると感じていました。しかし、日々の忙しさなどを理由に、授業改善に対する取り組みを後回しにしていたようです。授業改善に取り組むことが、結果として仕事の効率を上げることにつながると気が付いたことは改善が進んだ大きな理由です。

また、6～20年目程度の教員は、少なからず若手教員の育成や学校運営への参画意識を持っていました。ですから、自分自身だけに止まらず、学校全体としての授業改善の必要性を感じていた方が多くいました。しかし、忙しさのせいで後回しにしていたり、授業改善を提案しようとしても、授業の「どこを・どのように」見て、「何を」変えていくように提案・アドバイスを行えば良いのかが言語化できなかったために、改善に着手できなかったようです。

診断票や授業後のアドバイス・研修によって授業の見方が理解できたことで行動に移しやすくなり、改善に進みました。また自分の授業改善や他者の授業改善に対して関心が薄い教員へアプローチする際は、「目的や必要性を説明し、共有していくための面談」などの準備や手立てが必要になってくると思われます。

❸ 教師を目指した際の想い

教師を目指していたときの想いは人それぞれですが、それを思い出すきっかけとなったことも大きいと思います。普段の業務に追われるなかで忘れてしまいがちな「想い」や「愛情」を改めて認識することで、教師として頑張るエネルギーがわいてきたとも考えられます。

上述の3つの要因を満たしていたにも関わらず、うまくいかなかった事例があります。それぞれについて要因を考察していきます。

〈事例1〉公立小学校教員A：30代　教員歴12年目　女性

4年生の理科の授業。理科室で実験を実施。児童の教師に対する信頼度はアンケートの結果からは高い数値が出ていました。しかし、1回目の授業観察は教室での授業であったため、指示が不足していても大きな問題はなかったものの、理科室の実験では指示の不足が危険に直結するため、教室での授業のときよりも「指示」についての課題が浮き彫りになりました。「教室とは異なり、危険を伴う理科室での授業」である、ということへの想像力が不足していたようです。

【主な原因】学習環境の変化に伴うイメージ・シミュレーション不足

- 理科室における授業の準備不足（シミュレーション含む）
- 児童の行動機会増加による自分勝手な行動増
- 児童に対する指示不足および不徹底

→総じて教師の不安材料の増加により、授業の安定度が揺らいだ様子がうかがえた。

〈事例2〉公立小学校教員B：30代　教員歴8年目　女性

6年生の国語の授業。2回目の授業観察では、前回の観察時よりも教室の清掃状況が悪く、ゴミを誰も拾わない（気づかない）、クラスの男女の仲もあまりよくないといった様子がうかがえました。こうした雰囲気のなかでアクティブラーニング型の授業にチャレンジしたため、教室は自分勝手な行動をとる児童たちによるカオスな状態でした。2回目のアンケート結果からも、1回目の授業観察時より、児童の教師に対する信頼度は下がっていたことがわかりました。

【主な原因】リレーション（人間関係）の悪化

- 児童同士のリレーションの状態が良くない状況
- 児童の教師に対する信頼度が下がっていた状況
- ルールとリレーションが確立していない状態でのアクティブラーニング型授業の実行

〈事例3〉私立高校教員C：20代　教員歴1年目　男性

高校2年生の社会の授業。1回目の授業観察ではICT機器（パワーポイント投影含む）が使えたため板書を使わず、生徒個々が所有するタブレットと合わせて効果的に授業を行えていました。しかし、2回目の授業では使用教室が急遽変更になったため、ICT機器が使用できない教室での授業に。教員は板書の準備ができていないので不安になり、説明力まで落ちてしまったようです。また、生徒に考えさせることも急にできなくなりました。

【主な原因】授業ツールの変化
- ICT機器への依存とバックアップ不足
- 生徒主体の活動が不足（調べ学習やグループワーク等AL型利用）
- 教師の不安（特に板書技術）

〈事例4〉私立高校教員D：20代　教員歴3年目　女性

高校２年生の化学の授業。前年度まで生物の授業を担当していましたが、学年が上がり、理系クラスの理科の選択者が化学に偏ったため、急遽化学を担当することになったようです。もともと理科のなかでも生物が専門のため、化学の授業準備の方法に不安がある状態でした。1回目の授業観察時は化学の基礎的な内容であったので、そこまで内容に不安を感じることはなかったようです。しかし、２回目の観察時では内容が難しくなってきたため、授業準備だけでは不安を払拭するまでには至らず、説明する際の表現力まで落ちてしまいました。

【主な原因】教科の専門性不足
- 教師の不安（化学の授業準備の方法）
- ほかの教員や理科教員への相談不足

❹ まとめ

以上、事例❶〜❹までの要因を整理すると、

(1) リレーションの問題　(2) ルールの浸透状態の問題　(3) 教師の精神状態の問題

などが問題の中心であるといえます。(1)(2) に関しては、単なる授業技術というより学級集団の状況が大きく関与しているようです。(3) は学習環境の準備やシミュレーション、またツールのバックアップなどの事前準備が必要ですが、イレギュラー対応に近いので経験も必要です。
以上の事例を基に、授業がうまくいかなかった要因を整理すると、

〈事例１〉学習環境（場所）**の変化に応じた適切な対応ができなかったこと**
〈事例２〉学級における人間関係（リレーション）**及びルールの乱れが授業に影響してしまったこと**
〈事例３〉ICT機器が使えないという不測の状況に臨機応変に対応できなかったこと
（ICT機器はあくまでもツールであり、ICT機器があってもなくても授業の根幹は変わらない）
〈事例４〉単元や教材の理解不足と他者への相談不足

が挙げられます。

EPILOGUE

おわりに

NPO任意団体RTF教育ラボは、公立・私立学校の現職校長、元校長、現職教員、教育ファシリテーター、民間教育機関職員、大学院生、大学生と異年齢、異業種の集まりで、「日本の未来の教育のために、日本の未来の教育を創造する」を目標に取り組んでいる団体です。

この書籍の主な執筆者は、代表、副代表、理事、企画教務部長の4人で、それぞれが原稿の一部を担当し、教育に対する日頃の想いを文章にまとめました。それぞれの立場で、教師を目指す方、より良い授業を目指す現役の先生たち、教員を指導する立場にある方のお役に立てればという想いで、執筆をしました。ほかのRTF教育ラボのスタッフの協力もあり、3年の準備期間を経て、なんとか出版する運びとなりました。

RTF教育ラボとしての役割は、教職を目指す人たちの支援、現職教員の方のスキルアップ講座の実施、学校における講演会の講師や研修や研究のアドバイザーなどですが、学校現場とのかかわりのなかで思うことは、「教師はある意味、職人である」ということです。教員の持つノウハウのほとんどが経験則でつくられています。この経験則はとても大切なものですが、なぜ、そういう行動が効果的なのか、きちんと解き明かす機会が少ないのが現状です。

教育現場では、教員一人ひとりの個性や特質が違うように、児童生徒の一人ひとりも違い、そのときどきに置かれた環境（地域や学校を取り巻く環境、教職員のメンバー構成など）も違います。まったく同じシチュエーションは決してないことから、対応の仕方もそれぞれ違って当たり前という意識が働きます。そのため、若い人たちに自分の経験を話したところで、参考にはなっても、最終的にはその場面に直面した人が解決するしかなく、その経験を積み重ねていくことしか成長する方法はありません。

それでも、先輩教員の試行錯誤の上に積み上げた貴重な実績や経験が、自身の改善に向けたヒントとなり、「これならできそう」「まずはこうしてみよう」など、手立てや方法をイメージすることができ、一歩を踏み出すためのきっかけになることができたら、それはとても幸せなことだと思います。

私たちRTF教育ラボは、この本の出版がゴールではなく、スタートと考えています。皆さんのご意見をいただきながら、誰もが使いやすい、より精度の高い診断票作りを目指すとともに、「日本の未来の教育のために」「日本の未来の教育を創造する」という目的・目標に向け、今後も全力で取り組んでいきたいと思います。

【参考文献】

『秋田県式「授業の達人」10の心得』
（矢ノ浦勝之／小学館）

『協同学習の技法 ―大学教育の手引き』
（エリザベス・バークレイ、クレア・メジャー、パトリシア・クロス／ナカニシヤ出版）

『教育ファシリテーターになろう』
（石川一喜、小貫 仁／弘文堂）

『子どもの追求を拓く授業』
（富山市立堀川小学校・明治図書出版）

『幼児期と社会』
（エリク・H・エリクソン、訳・仁科弥生／みすず書房）

『授業における教師のコンピテンシーに関する考察』
（亜細亜大学課程教育研究紀要：村上敬一著）（参考サイト）

『新しい学習指導要領等が目指す姿』
（文部科学省）http://www.mext.go.jp/b_menu/shingi/chukyo/chukyo3/siryo/attach/1364316.htm

『新しい学習指導要領の考え方』
（文部科学省）https://www.mext.go.jp/a_menu/shotou/new-cs/__icsFiles/afieldfile/2017/09/28/1396716_1.pdf【年代別】PBL問題解決型学習の授業例 | 小学校・中学校・高校（スタスタ）https://studystudio.jp/contents/archives/39670

『新たな未来を築くための大学教育の質的転換に向けて～生涯学び続け、主体的に考える力を育成する大学へ～』
（文部科学省 平成24年8月28日中央教育審議会答申）https://www.mext.go.jp/b_menu/shingi/chukyo/chukyo0/toushin/1325047.htm

『平成29年度 小・中学校新教育課程説明会（中央説明会）における文部科学省説明資料』
（文部 科学省）https://www.mext.go.jp/a_menu/shotou/new-cs/1396716.htm

『新学習指導要領総則』

RTF教育ラボ

RTFとは、Road toThe Future（未来への道）／Real・Teacher・Facilitator（本物のティーチャー・ファシリテーターへ）の頭文字です。私たちは、どんな時代・環境でも変わらぬ教育の本質に立ち返り、子どもたちが安全・安心に過ごしながら"生きる力"を育める環境づくりをサポートしています。

〈主たる事業内容〉

1. 現職教員向け研修
2. 教育委員会及び学校の研究授業、校内研修の講師
3. 大学における講義、講演
4. 学力向上、授業力向上のサポートやコーディネート
5. 教員志望者へのサポート

公式HP：https://goseminarcourse01.wixsite.com/rtfkyouikulab
公式Facebook：@RTFkyouikulab
公式Twitter：@bkaiRTF

〈著者プロフィール〉

村上 敬一

RTF教育ラボ代表。教育ファシリテーター。東京都公立中学校学校運営協議会委員。約15年間、全国の国公立私立の小学中学高校大学および塾・予備校の授業観察を行い、トータルの授業観察数は4500を超える。その経験を還元すべく全国の教育委員会および学校の研修講師を担当。また14年間にわたり毎年約150名の教員志望者も育成。

西村 豊

RTF教育ラボ副代表。東京都公立小・中・小中一貫校元校長。
元校長会長。

吉村 雄二

RTF教育ラボ理事。東京都公立中学校元校長。

野田 雅満

RTF教育ラボ企画業務部長。島根県公立小学校元教員。
一般社団法人 政治検定協会 代表理事。

〈RTF教育ラボメンバー〉

後藤 寛
三井 一賢
村上 亜樹
武者 明日香
高橋 蘭
伊藤 正樹
杉山 維吹
此崎 彬
斎藤 舞美

〈制作協力〉

高崎 彰
栗崎 泰爾
福室 匠

授業診断票サンプル
ダウンロード

第5章（P107～117）で紹介した授業診断票のサンプルは、
こちらのQRコードからダウンロードしていただくことが可能です。

ファイル名「授業づくりの診断書」内にある、

- 授業診断票サンプル❶ 横型
- 授業診断票サンプル❷ 縦型
- 授業診断票サンプル❸ 横分離型
- 授業診断票サンプル❹ 簡易版（1）
- 授業診断票サンプル❺ 簡易版（2）

は、ご自由にお使いください。

教師が変わる・児童生徒も変わる

授業づくりの診断書

2020年10月1日 第1刷発行

著　　者　RTF教育ラボ（村上敬一、西村 豊、吉村雄二、野田雅満）

発 行 者　千吉良美樹
発 行 所　ハガツサブックス

〒150-0021
東京都渋谷区恵比寿西1-15-2 401号
電話 03-6313-7795

デ ザ イ ン　中川理子
印刷・製本　モリモト印刷

ISBN978-4-910034-03-4 C0037